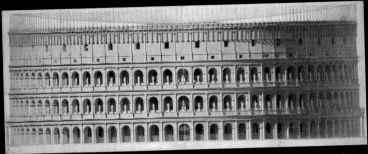

de «restaurer» et de ressusciter par le trait, les courbes et les droites. Projet archéologique et architectural, où se dessinent des modèles classiques mais où la vérité a souvent moins d'attrait que la recherche de la beauté.

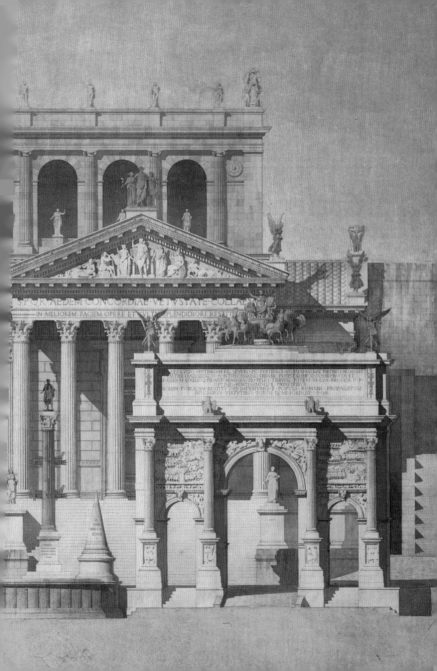

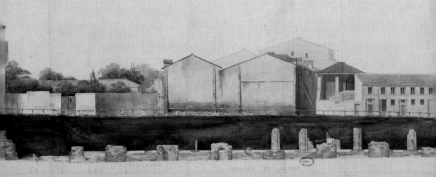

BASILIQUE DE ... JULES

PALAIS EN ...

TABVLARIVM

MONT

CAPITOL

TEMPLE DE LA CONCORDE

TEMPLE DE VESPASIEN

ROCHE TARPÉIENNE

PORTIQUE DES XII DIEUX

C laude Moatti,
ancienne élève
de l'Ecole normale
supérieure (Sèvres),
agrégée de lettres
classiques, étudie
la pensée politique et
la crise de la culture
à la fin de la république
romaine et au début
de l'empire (IIe siècle
av. J.-C. – Ier siècle
ap. J.-C.). Elle est
l'auteur d'une thèse de
doctorat sur les
rapports entre science
juridique, politique et
société à cette même
époque. Parallèlement,
comme membre de
l'Ecole française de
Rome, elle mène une
recherche – dont ce
livre est une première
mise au point – sur
l'histoire de la
découverte de la Rome
antique et sur ce qu'il
convient d'appeler
«l'invention de
l'archéologie romaine».

Pour Thomas

1er dépôt légal : avril 1989
Dépôt légal : janvier 1991
Numéro d'édition : 50945
ISBN : 2-07-053073-6
Imprimé en Italie

À LA RECHERCHE
DE LA ROME ANTIQUE

Claude Moatti

DÉCOUVERTES GALLIMARD
ARCHÉOLOGIE

Sans cesse ensevelie et sans cesse détruite, Rome n'a jamais disparu de la carte du monde. La Ville éternelle survit au cours des siècles médiévaux, mais sur ses ruines descend peu à peu le voile de la légende.

CHAPITRE PREMIER
ROME, VILLE ÉTERNELLE

Le *Dittamondo*, de Fazio degli Uberti, auteur du XIVe siècle, est le récit d'un voyage imaginaire. Fazio et son guide, l'antique géographe Solin, parviennent au bord d'un fleuve, où ils rencontrent une vieille femme en pleurs : c'est Rome, la Ville en personne, qui raconte son histoire au poète et parle de sa beauté passée. Le miniaturiste a mis en scène ce récit de façon non moins imaginaire.

Comme tant de cités antiques,
Rome fut ensevelie. Parcourant la
ville, Montaigne savait qu'il marchait
«sur le faîte des maisons toutes entières»
et «sur la tête des vieux murs». Deux
siècles plus tard, Goethe, nostalgique,
flâne au Campo Vaccino : le vieux forum
romain, bordé de bâtisses et d'églises, sert de
pâturage; de-ci de-là, apparaissent des ruines,
enterrées à demi. Les archéologues ne les
dégageront qu'au siècle suivant. Pendant plus
de mille ans depuis la fin de l'empire d'Occident,
des vestiges ont ainsi resurgi peu
à peu, tirés de profondeurs
dépassant parfois vingt mètres.

   Dès l'Antiquité, on construit
en superposant les édifices : les
thermes de Trajan sont bâtis sur les
ruines du palais de Néron, la Maison
d'or; ceux de Dioclétien sur deux
temples et plusieurs édifices
publics et privés. Les Romains
ne détruisent pas toujours les
substructions des monuments qu'ils

F. Chauueau fe.

remplacent, ni ne déblaient ceux qui s'effondrent :
«Les collines s'élèvent sur les décombres», écrit déjà
Frontin, administrateur des aqueducs au IIᵉ siècle de
notre ère. Avant la fin de l'Empire, la Rome royale et
la Rome républicaine ont presque disparu,
recouvertes par des constructions plus récentes,
destinées à un sort identique.

Rome dépouillée de ses trésors d'architecture, Rome détruite

A partir du IVᵉ siècle, l'Empire romain devient
chrétien. Rome perd son statut de capitale :
Constantinople, puis Milan, Ravenne
s'embellissent à leur tour
des richesses que les
empereurs lui
dérobent.

La tradition selon
laquelle l'empereur
Constantin avait offert
au pape Sylvestre
l'empire d'Occident
– donnant ainsi un
fondement légitime au
pouvoir temporel des
papes – est reprise à
partir du XIIᵉ siècle, au
plus fort moment de la
lutte entre l'empire et la
papauté. Un cycle de
fresques de l'église des
Quatre-Saints-
couronnés (XIIᵉ siècle)
illustre cette tradition :
sur cette fresque
(à gauche), Constantin
remet la tiare au pape.
Au début du XVᵉ siècle,
Raphaël représentera la
Donation de Constantin
dans une de ses *Stanze*;
un thème d'actualité à
l'époque où pèse encore
la menace impériale sur
le pouvoir des papes,
à la veille du massacre
de 1527.

En 410, le sac de
Rome par le
Wisigoth Alaric effraya
païens et chrétiens :
«C'est la fin du monde,
se lamente saint
Jérôme, les mots me
manquent, les sanglots
m'empêchent de
parler... La cité qui
a soumis l'univers est
tombée à son tour.»

L'interdiction des cultes païens, la fermeture des temples – édictées à la fin du même siècle – mais aussi l'appauvrissement général, les invasions accentuent la dégradation; les habitants n'entretiennent plus les édifices; les statues, les objets de culte, quand ils n'ont pas été pillés par les Barbares, sont dispersés; les anciens sites, le Forum, le Palatin, le Colisée, deviennent peu à peu des décharges publiques – ou sont livrés à la végétation et à la poussière du temps.

Les autorités essaient de protéger les monuments; et les envahisseurs ne sont pas les moins actifs : l'Ostrogoth Théodoric, roi d'Italie à la fin du Ve siècle, fait réparer le théâtre de Pompée, encourage la construction de nouveaux édifices et la restauration des thermes, cirques, égouts et aqueducs. Aussi l'empereur byzantin Constance II – qui lui-même dépouillera Rome d'une quantité de bronzes – est-il ébloui lors de son pèlerinage dans la Ville éternelle en 357 : Rome possède encore de sa splendeur légendaire! Le forum de Trajan le fascine, avec sa colonne sculptée, sa basilique et les marchés accrochés au flanc du Quirinal. Il lui semble avoir sous les yeux «le sanctuaire du monde».

Connue sous le nom de Meta Remi, cette pyramide (en bas à gauche) est un monument funéraire édifié à la fin du Ier siècle av. J.-C. par Caïus Cestius. Ci-contre, la colonne Trajane.

Neuf mètres d'ouverture en plein ciel dans la coupole du Panthéon. Au Moyen Age, on croyait que le diable avait jadis emporté la pointe du dôme – une pomme de pin de bronze – et l'avait déposée devant saint Pierre.

De la ville païenne à la ville chrétienne : pillage et réutilisation

A cette époque, pourtant, le paysage urbain se transforme rapidement. Rome est déjà une ville chrétienne et certaines de ses églises prendront la place des anciens temples : le Panthéon, édifié par le gendre d'Auguste, Agrippa, est consacré dès 609 à sainte Marie des Martyrs; la Curie, lieu de réunion du sénat sur le Forum, est dédiée à saint Adrien. La population abandonne les collines; épuisée par les guerres, les famines et les maladies, elle se réfugie le long du Tibre, figeant pour plusieurs siècles l'image d'une cité dont le centre, très peuplé, est entouré d'immenses étendues livrées à la végétation. A partir du XIe siècle, enfin, des

L es dessins de Van Heemskerck furent exécutés entre 1532 et 1536, au lendemain du sac de Rome, sous le pontificat de Paul III. L'artiste se fait observateur : chez lui nulle volonté d'imaginer l'ancien état des monuments ni d'en inventer la restauration. Il a un regard précis et réaliste : le Colisée apparaît bien ainsi après les saccages et plusieurs siècles de pillages.

centaines de tours sont érigées et les édifices antiques encore intacts accaparés et fortifiés par les familles nobles. Les autres, temples, thermes, théâtres, servent de carrières de marbre, matériau de construction irremplaçable qu'on destine le plus souvent aux fours à chaux. Pendant tout le Moyen Age et jusqu'à la Renaissance, des milliers de statues et de fragments de marbre sont ainsi fondus dans les boutiques de chaufourniers installées entre le Capitole et le Tibre : une rue a gardé le souvenir de ces massacres, la *via delle Botteghe oscure*, la «rue des Boutiques obscures».

Au XIXᵉ siècle, l'archéologue Rodolfo Lanciani découvre sur le Forum des modèles de ces anciens fours, installé sur leur lieu d'opération sans doute pour en accroître l'efficacité! Et sur le Palatin, une fosse remplie de statues, «les unes calcinées, les autres intactes», prêtes à périr dans ces mêmes fours, et sauvées pour des raisons inconnues. Quand il ne fut pas fondu, le marbre des statues, revêtements et colonnes fut exporté à Naples, Pise, Orvieto, Montecassino, ou plus loin encore, à Saint-Denis, à Westminster. Toutes ces rapines ont donné aux vestiges leur couleur actuelle. La capitale de l'Empire n'était pas rouge, Rome était une ville de marbre, une ville éclatante!

Rome, toujours recommencée

Cette ville enfouie et brisée n'a toutefois jamais complètement disparu. Symboles de son éternité, le Colisée, le Panthéon, ou la colonne Trajane ont traversé les siècles. Une telle continuité «physique» explique le destin exceptionnel de Rome, l'autorité dont la ville a joui comme modèle politique, artistique et intellectuel. Combien de cités, ou même de civilisations, ont été oubliées, puis brusquement redécouvertes? Rome a toujours gardé un souffle de vie et ses «renaissances» – on emploie

P our les pèlerins, Rome est la cité par excellence, le centre du monde. D'où ces représentations en forme de globe parfait, aux murailles régulières, qui indiquent les itinéraires les plus célèbres : au centre, le plus important, celui qui menait du Vatican au Latran. On remarque aussi l'indication des *scholae*, lieux où se retrouvaient les pèlerins du monde entier.

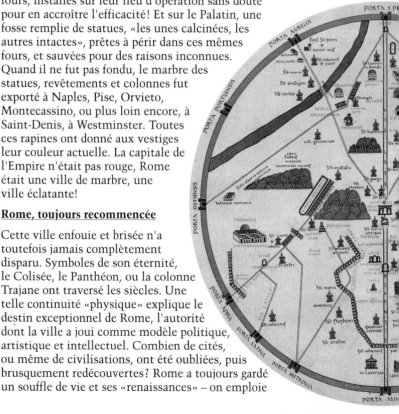

le terme *renovatio* – sont imprégnées d'affectivité. Malgré les résistances des chrétiens, hostiles au paganisme, l'étude des traditions et de l'histoire romaine ne s'est jamais interrompue depuis le premier siècle avant Jésus-Christ jusqu'au Moyen Age, qui a longtemps maintenu une évidente familiarité avec la culture antique et manifesté une vénération sans limites pour ses ruines.

Les premiers guides de Rome mentionnent les monuments païens

La Rome païenne attirait les visiteurs. La capitale du christianisme suscite aussi l'admiration de tous : de France, d'Espagne, d'Allemagne, une foule de pèlerins vient visiter la tombe de saint Pierre, les églises qui abritent les reliques des saints, et, tout près, les ruines antiques. Ils sont plus de deux millions lors du jubilé de 1300! Des guides, conçus spécialement pour ces voyageurs, proposent des circuits variés; un des plus anciens, datant du VIIIe ou du IXe siècle, l'itinéraire dit d'Einsiedeln – du nom du couvent suisse où fut découvert le manuscrit – offre aux pèlerins onze parcours dans la ville et présente une description très précise des murs d'enceinte, avec le nombre de tours, de créneaux, de fenêtres et de latrines. Dans ce guide célèbre, qui semble commenter un plan dressé par le pape Adrien Ier, une bonne connaissance de la ville se double d'un intérêt particulier pour les inscriptions, ces textes que les

❝Devant le palais du pape – le Latran – se trouve une statue de bronze : le cheval est immense et son cavalier – en qui certains voient Théodoric – est, pour le peuple romain, l'empereur Constantin; mais pour les cardinaux et les clercs de la curie romaine, c'est Marcus ou Quintus Quirinus... Le cavalier se tient droit, dirigeant pour ainsi dire le peuple de sa main droite et retenant les rênes de sa main gauche.**❞**
Maître Grégorius.

Anciens gravaient sur les monuments et dont la science – l'épigraphie – constitue un des principaux aspects du renouveau des études classiques sous l'influence de Charlemagne.

Les **Mirabilia, livre-culte du tourisme médiéval**

Trois siècles après l'époque carolingienne, les Mirabilia Urbis, les Merveilles de Rome, ces nouveaux guides pour pèlerins, témoignent d'une perte de savoir. La connaissance, autrefois directe, des textes et des lieux se perd dans les légendes et les symboles. On ne cesse pas pour autant d'admirer les Anciens et leur influence ne fait que croître. Du XIIᵉ au XIVᵉ siècle, les papes – notamment Grégoire VII et Innocent III – et les empereurs germaniques – les Hohenstaufen – conçoivent le projet concurrent d'un empire universel dont Rome serait le centre et l'Empire romain le modèle. Les Romains, pour leur part, rêvent d'une Italie unie sous la domination de Rome, nouvelle république édifiée à l'image de l'antique.

Dans cette période de tension, marquée surtout par la Commune (1143-1198) et l'épisode avignonnais (1309-1420), la renaissance politique de Rome, républicaine et impériale, païenne et chrétienne, semble favoriser la recherche archéologique : on se met à fouiller et l'on prête un peu plus d'attention aux objets, vases, céramiques, statues trouvés sur place. L'œuvre de l'empereur Frédéric II, qui fait ainsi explorer l'ancienne cité grecque près d'Augusta, ville qu'il a fondée en 1232, et la curiosité fureteuse de certains ne

Au Moyen Age, certains croyaient que cette tête colossale de Constantin le Grand représentait le dieu Soleil...

doivent toutefois pas faire oublier que, si l'on s'intéresse aux marbres et aux statues, c'est avant tout pour en faire le commerce; que les admirateurs d'antiques sont aussi des chercheurs de trésors; que le respect pour certaines œuvres – notamment les statues de bronze de haute taille – tient en partie à l'incapacité d'en fabriquer de pareilles. L'Antiquité acquiert une dimension mythique; les «Anciens» paraissent des géants inimitables, qui ont orné leur ville des plus grandes merveilles.

Le chanoine Benoît, un ecclésiastique de Saint-Pierre qui vécut au XIIe siècle sous le pontificat d'Innocent II, entreprend de décrire à ses contemporains ces beautés étonnantes; pratiquant les textes anciens, il essaie de retrouver sous la toponymie médiévale le nom antique des monuments. Mais son commentaire comporte toutes les légendes et les erreurs du Moyen Age : les dieux Castor et Pollux sont «deux jeunes philosophes venus à Rome au temps de Tibère»; au Forum «se trouve le temple de Vesta, sous lequel on raconte qu'un dragon est couché, comme il est écrit dans la *Vie de saint Silvestre*»; au Capitole, se dressaient, imagine-t-il, des palais merveilleux, resplendissants d'or et d'argent. L'amplification n'est pas anecdotique. En ce début du XIIe siècle, les Romains revendiquent leur indépendance vis-à-vis de la papauté; le palais du Sénateur est installé sur les ruines du Tabularium, ancien centre d'archives romaines occupant les pentes du Capitole.

Les Mirabilia partagent l'esprit de ce temps qui veut faire revivre les consuls et les sénateurs, qui veut ressusciter la splendeur passée. Ces ouvrages obtiennent un succès considérable. Recopiés, diffusés et imités jusqu'au XVIe siècle, ils imposent pour

Frédéric II (1194-1250) est le dernier descendant de la dynastie des Hohenstaufen. Empereur germanique et roi de Sicile, portant très haut l'idée d'empire et connaissant admirablement l'ancienne Rome, il encouragea les études classiques et mit en place en Sicile la première codification médiévale d'un droit administratif d'Etat, les Lois de Melfi (1231), inspirées du code romain de l'empereur Justinien.

longtemps un style de description topographique et figent durablement la connaissance des monuments romains. Au XIVe siècle, Pétrarque puise dans ces guides tout ce qu'il sait de la ville.

Maître Grégorius amoureux de Vénus

Parmi les plus célèbres Mirabilia, l'ouvrage de maître Grégorius tient une place à part : ce théologien anglais est un véritable amoureux de l'Antiquité qui ne se prive pas de critiquer les papes destructeurs et les iconoclastes. Arrivant à Rome par le monte Mario – promontoire idéal avant de descendre vers Saint-Pierre – il est fasciné dès le premier coup d'œil par cette ville hérissée de tours, aux rues étroites et aux églises innombrables. Ses promenades renouvellent encore son admiration : pyramides, arcs, constructions monumentales, que l'on désigne à l'époque sous le nom de «palais». Tout le ravit, et surtout les statues. Leur beauté lui semble venir d'une force magique. L'une, en particulier, retient son attention, une Vénus en marbre de Paros, «d'une inexplicable perfection, au point qu'on la croirait animée : semblable à celui d'une jeune fille qui rougirait de sa nudité, son visage s'empourpre». Trois fois Grégorius s'en retourne la voir, malgré le chemin qu'il doit chaque fois parcourir.

Grégorius n'est pas un érudit bien qu'il prétende s'écarter des fables qu'on raconte habituellement aux pèlerins. Ce promeneur insolite appartient bien au Moyen Age et témoigne d'une époque où Rome est devenue un labyrinthe inextricable, une forêt dans laquelle s'égare le voyageur, où le goût des légendes s'est substitué à toute autre forme de compréhension : le Panthéon est un repaire de démons, le Colisée le temple du Soleil. Mais Grégorius annonce aussi les humanistes par son sens de la beauté pure, par cette facilité à s'émouvoir devant une statue.

Cola di Rienzo, tribun du peuple, ou la nostalgie de la Rome républicaine

Au départ des papes pour Avignon, la plupart des cités italiennes connaissent un grand réveil national, animé par une renaissance de la culture antique.

A Rome, Cola di Rienzo, l'ami de Pétrarque, défenseur du peuple contre les abus des nobles, sait aussi commenter les textes antiques. Ce jeune Romain «passait tout le jour, raconte son biographe

NICOLO DI LORENZO DETTO COLA DI RENZO.Tribuno del Popolo Romano.

15

anonyme, à examiner les sculptures de marbre qui jonchaient le sol de Rome. Nul ne savait lire comme lui les anciennes épithaphes; toutes les inscriptions antiques, il les expliquait; toutes les figures de marbre, il les interprétait justement». C'est précisément une inscription qui le rend célèbre. Il redécouvre en 1346 une plaque de bronze – sur laquelle avait été gravée la loi accordant les pouvoirs impériaux à l'empereur Vespasien –, qui avait été utilisée pour la construction de l'autel de la basilique du Latran : l'inscription était restée, pendant des siècles, retournée vers l'intérieur. Il fallut un incendie pour qu'elle fût mise au jour et déchiffrée. Cola était déjà connu pour ses sentiments antinobiliaires. Il affiche le document, réunit le peuple puis explique : «La Rome sublime gît dans la poussière, elle ne peut voir sa propre chute parce que ses deux yeux, l'empereur et le pape, lui ont été arrachés. Romains, regardez comme était grande la magnificence du sénat qui conférait l'Empire!»

S i Pétrarque (1304-1374) incarne pour la postérité le renouveau de la littérature classique (ci-contre), Cola di Rienzo (1313-1354) reste le symbole de la volonté de faire revivre les formes politiques de l'Antiquité. L'utilisation de l'idée de Rome – une constante dans l'histoire romaine – atteint dans l'épisode de la mort de Cola ses formes les plus violentes : traîné dans la ville pendant trois jours, son corps fut massacré, lapidé, disloqué, puis brûlé et, dit son biographe, «réduit en poussière, il n'en resta pas une trace».

Les Romains écoutèrent cet éloge du passé et les projets de liberté. Cola fut élu tribun du peuple! Et l'on venait entendre ses discours, là où des Gracques, des Cicérons, des Césars enflammèrent jadis les foules. Mais ce «libérateur», qui avait exalté le peuple, réduit les barons à l'impuissance, réformé la cité, recherché l'unité italienne, ce défenseur de l'idéal communal devint un tyran épouvantable. Il fut d'abord chassé du pouvoir et jeté en prison, puis réclamé une seconde fois par le peuple. Mais ses excès redoublant de brutalité, il fut traîné à la mort après avoir subi d'affreuses tortures.

Des érudits du Moyen Age aux humanistes de la Renaissance

Cola fut le dernier de son temps à prôner une restauration de Rome, tout en cultivant une érudition considérable, une connaissance parfaite des monuments, des textes littéraires et des inscriptions. Son contemporain, Giovanni Dondi, philosophe, médecin, astrologue, appartient déjà à l'époque humaniste : dans son *Iter romanum*, recueil de notes prises au cours d'un voyage à Rome, il donne avec soin les mesures des monuments, évitant de rapporter des légendes.

Avec Dondi, on assiste à une approche non émotive de l'Antiquité : ni magie, ni exaltation politique, ni poésie. La rencontre passe par les chiffres et les textes. L'esprit critique seul conduit à l'admiration.

Table en bronze de l'empereur Vespasien (ci-dessus), découverte par Cola di Rienzo.

Cette représentation de Rome en forme de lion, datée du XIIe siècle, traduit l'image royale de la cité. Cola di Rienzo disait : «Les murs de la cité ont la forme d'un lion au repos.»

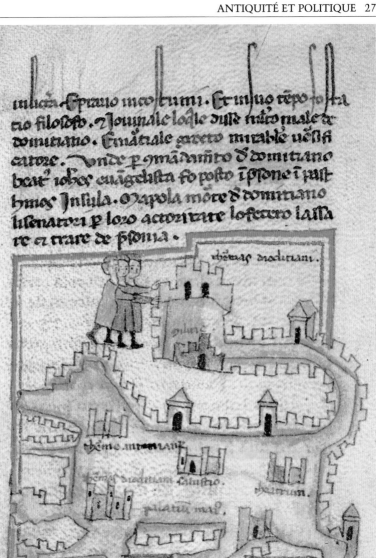

Au moment où Christophe Colomb découvre l'Amérique, artistes et érudits, princes, aventuriers et papes recherchent fébrilement dans le sous-sol de Rome les traces de sa splendeur. Et cette ville qu'on pille et reconstruit à la fois, l'ancienne capitale d'empire, ressuscite dans les descriptions, les cartes et les plans.

CHAPITRE II
LE TEMPS DES HUMANISTES

Le *Laocoon*, (ci-contre, dans la salle de la Maison d'or où il a été découvert) «prodige de l'art, où de la plus grande douleur naît la plus grande beauté». (J. Winckelmann)

Insalubre, dépeuplée, tout en ruine, la Rome du
XVe siècle ressemble, dit un contemporain, à une
vieille femme en haillons. Le grand historien Pogge
Bracciolini voit en elle le symbole de l'humanité,
soumise à l'instabilité de la Fortune et que pleurent
artistes et savants. Dans un véritable défi au temps,
ceux qu'on appelle alors les «antiquaires», les érudits
en choses antiques, entreprennent de reconstituer son
intégrité et de restaurer son unité.

Défi au temps aussi, les grands travaux édilitaires
entrepris par les papes, leur folle passion de la
collection des chefs-d'œuvre du passé, pour laquelle,
à la veille du sac de Rome par les troupes de Charles
Quint et du schisme réformateur, ils seront accusés
d'hérésie païenne.

Défi encore, l'insatiabilité de l'époque, *la curiosità*,
qui ouvre, plus que tout, l'histoire de la recherche
archéologique. Comme les grands explorateurs Vasco
de Gama ou Amerigo Vespucci sur les routes
maritimes, savants, artistes et princes partent à
la découverte de Rome.

Sur la seconde
vignette, au-dessus
de la statue de Marc-
Aurèle, la main et la
tête d'une statue
colossale désignaient le
Latran comme lieu de
justice et de puissance
temporelle des papes.
A la fin du XVe siècle et
au début du XVIe siècle,
ces pièces de bronze
ainsi que la fameuse
Louve archaïque furent
transportées au Capitole
où elles se trouvent
encore.

Promenades érudites

Cyriaque Pizzicolli d'Ancône, marchand et
antiquaire, parcourait chaque jour la ville sur son
cheval blanc «à la recherche des vestiges, temples,
théâtres, palais et thermes, obélisques splendides,
arcs remarquables, aqueducs, ponts, statues, colonnes
et nobles inscriptions : il les examinait, en faisait des
relevés et les commentait», voulant, disait-il,
ressusciter les morts et rendre leur identité à ses
contemporains. Dans l'*Itinéraire*, il fit le récit de ses
expéditions en Italie, Egypte, Grèce ou Palestine..., au
cours desquelles il avait recopié quantité de textes
inédits, dessiné quantité de monuments.

Comme Cyriaque, les érudits de cette époque sont
d'ardents déambulateurs : Flavio Biondo et Pogge
Bracciolini visitent les environs de Rome; Pomponius
Letus arpente inlassablement la ville et réunissant,
comme Dondi, ses notes prises au cours de
promenades, donne un des meilleurs commentaires
topographiques du XVᵉ siècle.

Des symboles
de Rome sont
placés dans un décor
imaginaire de
monuments et
d'antiquités : un
obélisque avec globe,
situé devant une
basilique, derrière
laquelle se profile un
dôme surmonté d'un
ange – Saint-Pierre et le
château Saint-Ange sans
doute –; une porte de
cité derrière laquelle
se trouvent un dôme,
surmonté d'une statue
de l'archange Michel,
et un pont; et (à
gauche), une colline
artificielle, formée de
débris d'amphores :
le mont Testaccio,
souvenir d'un des
centres commerciaux
de la Rome antique.

Les beaux jours de la philologie

La passion exploratrice des savants se porte
d'abord sur les manuscrits, pour lesquels ils
parcourent toute l'Europe, fouillant les
couvents, copiant et traduisant les textes
vénérés. Le pape Nicolas V ne se déplace
jamais sans une armée de scribes. Lorsque
Constantinople tombe aux mains des
Ottomans, il charge ses agents d'acquérir à
n'importe quel prix des manuscrits grecs.
Pendant les huit années de son pontificat, il
accroît le fonds de la Bibliothèque vaticane, qui
devient, avec ses cinq mille volumes, la première

grande bibliothèque européenne. Dans son entourage,
les philologues Lorenzo Valla, Philelphe, Pogge
Bracciolini s'occupent de traduire et d'expliquer les
textes, d'établir de bonnes éditions à partir des

Une salle de lecture
de la Bibliothèque
vaticane telle qu'elle
se présentait au début
du XVIIe siècle.

variantes trouvées dans les différents manuscrits. On redécouvre Ovide, Tite-Live, Lucrèce, Stace, Quintilien et surtout Vitruve, dont le traité *De architectura* va influencer à la fois l'architecture de la Renaissance – avec Palladio, par exemple – et la compréhension des monuments antiques. L'architecte Leon Battista Alberti mesure les édifices antiques, en donne des relevés précis d'après les indications de Vitruve, mais également grâce à des instruments mathématiques de son invention. Sa *Description de Rome*, où abondent dessins et chiffres, comporte non seulement des descriptions de monuments mais aussi une analyse de leur structure.

Sauver la mémoire de la pierre

A l'étude des manuscrits anciens – la philologie – s'ajoute une recherche systématique des inscriptions (dédicaces de monuments, textes funéraires, lois, sénatus-consultes) : *De urbe Roma*, l'ouvrage de Bernardo Rucellai, mêle ainsi les descriptions et les inscriptions. Un immense effort est accompli pour sauver la mémoire de la pierre, avec une hâte et une avidité qui traduisent la crainte réelle d'en voir disparaître les dernières traces, à une époque où les nouveaux monuments prennent leurs pierres aux anciens. En 1430, Pogge Bracciolini inaugure pour l'époque moderne la série des *Sylloge*, recueils d'inscriptions, païennes ou chrétiennes, qui vont se développer

"Parmi les copistes, ceux qui entendaient le grec occupaient le premier rang; ils étaient en petit nombre et on les payait fort cher...
A l'époque de Nicolas V, les copistes à Rome étaient pour la plupart des Allemands et des Français : des «barbares», comme les appelaient les humanistes italiens.**"**
J. Burckhardt.

Vénus tenait une grande place dans le Panthéon romain. Rome ne devint une divinité protectrice de l'empire que sous le règne de l'empereur Hadrien (117-138). Le temple de Vénus et de Rome – dont les colonnades dominaient à la fois le Forum et le Colisée – fut alors considéré comme le centre religieux et politique de l'Etat. Au XVe siècle, l'édifice n'est plus qu'une ruine, dont le dessin de Palladio (ci-contre) donne à voir, non une restauration archéologique, mais une représentation idéale.

Tempio del O. u D.

aux siècles suivants (ceux de Pirro Ligorio, Smettius, Fulvio sont restés célèbres), grâce à l'imprimerie désormais et à la passion d'éditeurs comme Mazzari. Tous ces recueils, que les savants des XVIIIe et XIXe siècles s'occuperont de classer, montrent ce même acharnement à rassembler le plus de documents possible. Dans la précipitation, on fait souvent des erreurs, on néglige d'indiquer la date de la découverte, de préciser le lieu, la taille du fragment mis au jour, quand on n'en fabrique pas de faux...

L'érudition humaniste, une hérésie ?

Dans sa maison du Quirinal, Pomponius Letus entasse les inscriptions, les monnaies et les fragments de marbre; il réunit ses amis, ses disciples, et fonde l'Académie romaine, cénacle d'amateurs et de savants, dont les rencontres donnent lieu à de fastueux banquets à l'antique. L'Académie se rassemble aussi dans des lieux plus secrets, les catacombes, où subsistent les graffitis laissés par ces visiteurs clandestins. Chaque convive s'est attribué un nom antique : Pomponius a pris celui de Pontifex Maximus, qui est à la fois le titre du chef de la religion romaine dans l'Antiquité et la traduction latine de «pape». Dénoncés, les académiciens inquiètent le pape Paul II : cet hérétique, qui organise des banquets païens et dont les amis, de surcroît, sont républicains, ne prépare-t-il pas un complot? Au cours du carnaval de 1468, vingt membres de la confrérie sont arrêtés et enchaînés dans la prison du château Saint-Ange. Pomponius rédige une défense, proteste de son innocence.

Ancien mausolée de l'empereur Hadrien, le château Saint-Ange (ci-dessus) fut transformé en forteresse au IIIe siècle et intégré dans la grande muraille aurélienne. Jusqu'au XVIe siècle, ses défenses ne cessèrent d'être renforcées. Lors du sac de Rome en 1527, le pape Clément VII s'y réfugia par le couloir fortifié qui le reliait au Vatican.

Se tient alors un des premiers procès des temps modernes où l'Eglise assimile l'érudition humaniste au paganisme, et qui anticipe celui que feront à cette même Eglise les réformateurs du siècle suivant.

Aucune preuve ne vient établir la culpabilité de ces érudits qu'on accuse pourtant de tous les vices. Le secret des catacombes et de leurs graffitis a été préservé. Aussitôt libre, Pomponius reprend ses cours à l'université : les étudiants arrivent avant minuit pour être sûrs d'avoir une place! Le pape Sixte IV lui permet même de reconstituer l'Académie, que rejoindront de nombreux savants, Castiglione, Bembo… mais le sac de Rome de 1527 mettra fin à cette assemblée trop païenne.

Textes littéraires et inscriptions se complètent parfois : ainsi cette table de bronze, découverte en 1528, qui reproduit le discours de Claude au Sénat romain en faveur de certains Gaulois, vint-elle corroborer le témoignage de Tacite qui, dans ses *Annales*, mentionnait ce discours.

Naissance de la topographie littéraire

De Pomponius, l'histoire ne retient pas que le procès. Sa connaissance des monuments antiques le classe parmi les meilleurs spécialistes d'une époque qui voit l'essor de la topographie. Le quinzième siècle tente en effet de restituer la toponymie antique obscurcie par le Moyen Age, de retrouver la réalité derrière les légendes médiévales. Pogge, déjà, Rucellai et surtout Flavio Biondo sont les premiers à confronter textes, inscriptions et vestiges. Le titre même de l'ouvrage de Biondo, *Roma instaurata*, Rome restaurée, révèle le dessein de ces nouveaux topographes : relever Rome par une

évocation érudite, aussi nécessaire qu'une restauration matérielle. Erudit – son second ouvrage, *Roma triumphans*, est un vrai traité d'antiquités romaines –, Biondo est aussi un amoureux des ruines, et surtout un admirateur de la Rome moderne et chrétienne, «triomphante», dont la grandeur lui semble prolonger celle de la ville antique.

Pour les topographes du XVe siècle, cependant, la littérature ancienne l'emporte sur tout autre source. L'archéologie n'est pas encore une science. Dans le sol de Rome, on ne cherche que des trésors. On ne fouille pas, on farfouille. Seuls des amateurs rapportent par écrit les principales découvertes, comme le sculpteur Flaminio Vacca, mais ils s'en tiennent à un catalogue pittoresque, dépouillé de réflexion historique. Les artistes, de même, à la

" L'artiste peut s'inspirer des fleurs sauvages [...] ou d'autres motifs qu'on appelle grotesques [...]. Cette appellation ne leur convient pas, car les artistes antiques s'amusaient à composer des monstres en combinant les formes de la chèvre, de la vache et de la jument; ou encore, en mélangeant leurs feuillages, ils créaient des sortes de monstres; c'est là leur vrai nom qui leur convient beaucoup mieux que celui de grotesques. "
B. Cellini,
Sa vie par lui-même.

recherche de modèles, représentent une ruine en son état, jamais un chantier ouvert. Il faut attendre la fin du XVIe siècle pour que paraissent les premiers relevés de fouilles.

Les artistes romains s'enthousiasment devant les grotesques de la Maison d'or

Au début du XVIᵉ siècle, des ouvriers travaillant sur la colline Oppia, près du Colisée, pénétrèrent dans des souterrains dont les voûtes étaient ornées de fresques et de stucs : ils découvraient les premières salles de la Maison d'or, l'immense palais construit

Relevé d'une voûte richement peinte de la Maison d'or par Sante Bartoli, artiste du XVIIᵉ siècle.

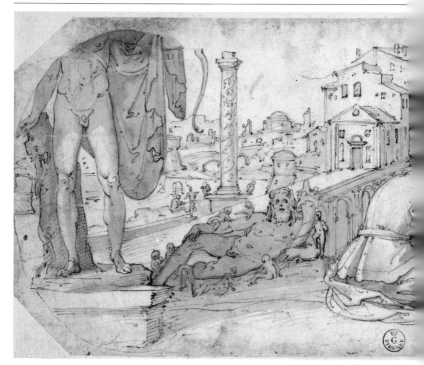

par l'empereur Néron sur les décombres d'un
incendie et recouvert, quelque temps après sa mort,
par les thermes de Trajan. La demeure impériale ne
fut pas identifiée immédiatement. A ces galeries
qu'on croyait souterraines depuis l'origine, on donna
le nom de «grottes», et celui de «grotesques» à leurs
peintures, tout en arabesques et figures légères ou
mythologiques.

La découverte des peintures devait exercer
une influence importante sur les artistes de la
Renaissance qui en ornèrent tous les palais. Raphaël
s'en inspira également pour la décoration des Loges
vaticanes. Mais, plus encore, les fresques donnaient
pour la première fois une «image en couleur» de
l'Antiquité : les peintures d'Herculanum et de
Pompéi ne devaient être mises au jour que deux
siècles plus tard.

Jules II, pape de 1503
à 1513, prétendait
descendre de la famille
de Jules César – la *gens
Julia* – dont l'ancêtre
était Enée, fils de
Vénus.

La découverte du groupe statuaire du *Laocoon* émut tous les artistes qui firent des copies (tel ce dessin de Zuccari) de ce qu'ils considéraient comme le chef-d'œuvre de l'art antique. De récentes découvertes faites à Sperlonga laissent toutefois supposer qu'il s'agit non d'une statue originale romaine mais d'une copie en marbre d'une œuvre hellénistique en bronze.

Le «Laocoon», «chef-d'œuvre des arts», suscite toutes les convoitises

La Maison d'or abritait des richesses inépuisables. Dans la seule année 1547, vingt-cinq statues furent exhumées; mais la plus grande trouvaille avait eu lieu en 1506, lorsque le propriétaire du terrain découvrit un groupe statuaire représentant des enfants et leur père, qu'un serpent étouffe : c'était le *Laocoon*, que Pline l'Ancien appelait le «chef-d'œuvre des arts». Envoyés sur place par le pape Jules II, l'architecte Giuliano da Sangallo et Michel-Ange confirmèrent le jugement de Pline. Cette statue merveilleuse semblait, dit un contemporain, «respirer le parfum de l'immortalité». Jules II en fit l'acquisition et le transport du chef-d'œuvre jusqu'au jardin du Belvédère, au Vatican, se fit en un véritable cortège triomphal.

La célébrité du *Laocoon* devint telle qu'en 1515, après la victoire de Marignan, François Ier le réclama comme une part de butin. Léon X, se refusant à le céder, en fit exécuter secrètement une copie : ni l'original ni la copie ne parvinrent jamais au roi de France; le *Laocoon* sera emporté comme butin de guerre par la France en 1797, puis,

définitivement restitué au Vatican, après la chute de Napoléon.

Le Belvédère et le Capitole abritent les premières collections d'antiques

Le *Laocoon* rejoignait au Belvédère une première statue païenne, un Apollon de toute beauté. Léon X ajouta les groupes du Nil

et du Tibre, tous deux découverts derrière le Panthéon. La collection se développa ainsi régulièrement, malgré les résistances de certains papes, Adrien VI et Pie V, qui, hostiles à la culture antique, firent fermer les portes du musée ou même vendre quelques statues.

Le jardin du Belvédère n'était pas la seule collection d'antiques. Dans le palais des Conservateurs, sur le Capitole, Sixte IV avait ouvert au public le premier musée de l'histoire moderne : l'inauguration, le 18 janvier 1471, donnait à voir *le Tireur d'épine, la Louve archaïque, le Lion dévorant un cheval...* Innocent VIII y fit placer par la suite la tête

colossale de l'empereur Constantin. Ces statues suscitaient l'admiration de tous. Les princes et les riches amateurs d'Europe en faisaient réaliser des copies. Le Primatice, envoyé à Rome par François Ier en 1540, revint avec plus de cent caisses de moulages et de marbres achetés. Et Philippe II d'Espagne chargea Vélasquez de dessiner toutes les statues du Belvédère, afin d'orner de leurs imitations le palais de Madrid.

Le collectionnisme devient une mode... utile aussi à l'archéologie

Encouragés par les premières trouvailles, Romains et étrangers se mirent à fouiller la terre, à creuser de toutes parts pour réveiller le peuple de pierre enseveli, s'emparer du moindre fragment de marbre.

Dans chaque palais, le *cortile*, mais aussi le «cabinet» – *studiolo* –, les «galeries» deviennent de véritables musées privés; des pans de murs entiers sont incrustés de reliefs de marbre. Suprême raffinement, on construit sa demeure dans les ruines mêmes : au théâtre de Marcellus ou, comme l'oncle de Du Bellay, dans les thermes de Dioclétien. De toute l'Europe, des ambassadeurs spéciaux sont envoyés à Rome pour s'informer des découvertes et acheter : colonnes, fragments de marbre, statues sont ainsi exportés massivement.

La passion des princes et des papes, sans aucun doute, favorisa l'archéologie. Des

Rome ne compte pas moins de quatre-vingt-dix collections privées au milieu du XVIe siècle! Les catalogues de l'époque – par exemple celui d'Ulisse Aldroandi, *les Antiquités de la cité de Rome*, 1576 – font comprendre l'importance du collectionnisme d'art antique qui envahit les palais et les transforme en musées. Dans ce cortile représenté par l'artiste Van Heemskerck, on remarque la tentative d'utiliser l'architecture moderne pour mettre en valeur les statues et les autres objets d'art antique.

thermes de Caracalla, les Farnese exhumèrent le fameux *Hercule*, statue colossale de plus de trois mètres de haut, le groupe du *Taureau*, une *Flora*, des mosaïques. Les nobles possédaient dans l'Antiquité des jardins aménagés : la fouille de ces sites livra quantité de chefs-d'œuvre. Les Hercule, Vénus, Esculape et les bustes d'empereurs des jardins des Licinii vinrent orner le palais de plaisance de Jules III, la villa Giulia. Dans les jardins des Lamia, fut découvert en 1582 le groupe pictural dit des *Noces aldobrandines* (du nom de son propriétaire), un des rares témoignages de la grande peinture antique; dans les jardins de Salluste, les plus grands de l'Antiquité, enfin, on découvrit une tête colossale de déesse, une Vénus sans doute. Le trône de la statue (le «trône Ludovisi») ne sera découvert qu'au XVIIIe siècle. C'est au cours de ces fouilles de hasard qu'on mit au jour en 1562 les premiers fragments de la Forma Urbis, plan de Rome en marbre daté du IIIe siècle ap. J.-C. L'importance de cette découverte ne fut pas comprise aussitôt mais sa publication, au siècle suivant, marquera une étape décisive dans l'histoire de la topographie romaine.

A la faveur des grands travaux, les découvertes se multiplient

En perçant la via Leonina (actuellement via Ripetta), on trouva d'importants fragments de marbre du mausolée d'Auguste, sépulcre impérial construit au début de l'empire, presque détruit au XIIe siècle, reconstruit et fortifié au XIIIe. Tout près, fut mis au jour, en 1568, une partie de l'autel de la Paix, élevé par le même empereur en 9 av. J.-C. et qui témoigne de l'âge d'or de la sculpture romaine : le reste de l'autel ne devait être découvert et relevé qu'aux XIXe et XXe siècles. Toutes les fouilles de la Renaissance furent ainsi reprises aux siècles suivants, jusqu'à cinq ou dix fois. Ce fut le cas d'un des plus beaux sites archéologiques de l'Italie, la villa Hadrienne.

  L'empereur Hadrien avait fait construire, tout près de Tivoli, une admirable demeure, «grande comme une ville», dit un visiteur du XVe siècle, où chaque lieu portait le nom d'un site célèbre de l'empire :

Réalisé entre 205 et 208, le plan de marbre de Rome – Forma Urbis – subit de nombreux dommages à partir du Ve siècle. Ses premiers fragments furent retrouvés en mai 1562, selon le témoignage de Flaminio Vacca.

Le mausolée d'Auguste était constitué d'une sorte de tambour de 87 m de diamètre, surmonté d'un cône de terre planté d'arbres et de la statue de l'empereur.

Mausoleum ab Augusto extr Mausoleo di Augusto fatto per

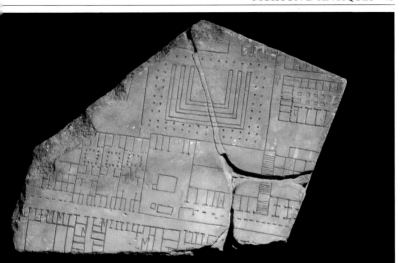

nosteriisq. eius sepulti. Spectat ad Septem.m Pius II Papa Caput S. Andreæ in Basilica S. Petri transferendis solenniter curavit. Collo-
ca. et de suoi Guardia à Tramontina Pio II Papa fu portar la Testa di S. Andrea à S. Pietro solennemente.

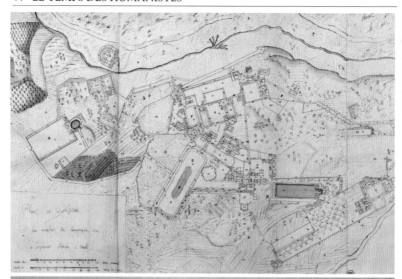

c'étaient le Lycée, l'Académie, le Canope, le Pécile... et même les Enfers! On y passait des bibliothèques au Théâtre maritime, des jardins au temple de Sérapis, des grands thermes aux petits bains... dans un cadre de rêve. Mais, comme la Maison d'or de Néron, la villa fut abandonnée quelque temps après la mort de l'empereur Hadrien et tomba rapidement en ruine.

Pirro Ligorio l'explora le premier. Cet antiquaire, architecte et topographe avait été chargé par le cardinal Hippolyte d'Este de trouver des matériaux, marbres et pavements, et des ouvrages d'art pour la construction d'une villa à Tivoli. Sa mission utilitaire n'empêcha pas Ligorio de faire une vraie fouille sérieuse et de laisser une documentation sur les travaux effectués, une «Description de la superbe et très riche villa Hadrienne».

L a carte de Ligorio fait apparaître la complexité de cette demeure réalisée sur les plans de l'empereur Hadrien et conçue comme une ville où les bâtiments se mêlent à la nature.

Pirro Ligorio, topographe et antiquaire

Ligorio est un des meilleurs archéologues du XVIe siècle. S'il n'hésite pas à fabriquer des faux, nombre de ses intuitions ont pu être vérifiées. Présent sur tous les chantiers de Rome, curieux de chaque découverte, il laisse de ses propres travaux des mémoires et des plans. Ses grandes compétences d'antiquaire, que

confirmeraient à eux seuls son *Dictionnaire d'antiquités* et sa carte archéologique de Rome, lui valent d'être appelé par Pie IV à la surveillance des monuments. Comme tel, il apporte un témoignage vivant sur les contradictions de son époque, partagée entre l'impatience de faire renaître l'antique cité et la volonté de la moderniser. Tandis que lui-même

D e riches mosaïques animalières, telle cette «mosaïque aux pigeons», furent retrouvées dans la villa Hadrienne.

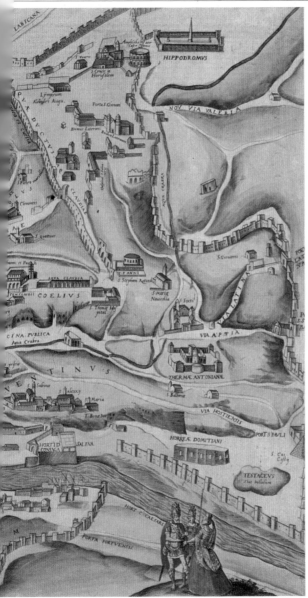

L es cartes de Rome se multiplient au milieu du XVIᵉ siècle : celles de Bufalini (1551) et de Tempesta (1593) sont les plus célèbres. La carte archéologique de Ligorio (1551), reproduite ici, se présente approximativement comme une vue aérienne de Rome, exécutée depuis le Janicule. On reconnaît les sites principaux : Palatin, Forum, Capitole et les ruines des monuments antiques.

L e seizième siècle
a hésité entre la
protection des ruines
et la modernisation de
Rome. Avec Domenico
Fontana (1543-1607),
son architecte officiel
(en haut à droite), Sixte
Quint, pape entre 1585
et 1590 (ci-dessus),
conçoit un plan
d'urbanisation destiné
à ouvrir de grandes
perspectives... au
détriment des
monuments antiques.

propose de conserver sur place les vestiges mis au jour, il assiste impuissant aux destructions : «Comme on déterrait des colonnes et d'autres choses, écrit-il à propos de l'arc d'Auguste, j'ai vu ce que je n'aurais pu imaginer : la plupart des ornements de l'édifice furent vendus comme on vend au marché aux bœufs... Les épitaphes furent gaspillées par ignorance et méchanceté et... ce n'est pas sans larmes que je cesse d'en dire plus.»

Pour moderniser Rome, les papes condamnent bon nombre de monuments antiques

L'époque est aux destructions. Par un bref du 17 décembre 1471, Sixte IV autorise les architectes de la Bibliothèque vaticane à effectuer n'importe quelles fouilles pour se procurer des pierres; sous Alexandre VI, la Chambre apostolique met en adjudication, entre autres, le Forum et le Colisée. Plus que toutes ces fouilles, la construction de la basilique Saint-Pierre provoque des démolitions. Le 22 juillet 1540, le pape Paul III condamne le Forum : le permis de fouille, qui jusqu'alors émanait à la fois des représentants municipaux, des inspecteurs des routes et de la Chambre apostolique, est accordé exclusivement

et en toute liberté aux bâtisseurs de la nouvelle basilique. Malgré les protestations, le pape Grégoire XIII confirme cette mesure, qu'il étend aux sites d'Ostie et de Porto. Enfin, au couronnement du siècle, Sixte Quint et son architecte Fontana – à qui l'on doit le transport devant Saint-Pierre de l'obélisque du cirque de Néron – font disparaître de prestigieux vestiges : un tiers des thermes de Dioclétien, une partie de l'aqueduc Claudien, mais aussi le Septizodium de Septime Sévère, et tant de constructions paléochrétiennes ou médiévales : le Patriarchium, ancienne résidence des papes au Latran, riche en

En mai 1590 – trois mois avant la mort de Sixte Quint –, le dôme de la nouvelle basilique Saint-Pierre, commencée en 1506, est achevé : la Rome moderne s'édifie lentement.

oratoires, chapelles et mosaïques; ou encore le bel oratoire de Santa-Croce, œuvre du pape Ilarus (461-468), orné d'un portique, de fontaines, de vasques de marbre rare et de magnifiques mosaïques d'or.

Raphaël est nommé commissaire aux Antiquités

La liste des actes de vandalisme doit être amendée. Les papes s'efforcèrent également de protéger les monuments intacts – la colonne Trajane ou celle de Marc-Aurèle –, de limiter les exportations de marbre et le commerce des antiquités, d'assurer la surveillance des vestiges. Le 20 août 1515, Raphaël devient ainsi commissaire aux Antiquités, avec la

Il fallut six jours et cent ouvriers pour coucher l'obélisque du cirque de Néron et un mois entier pour le déplacer, grâce à d'énormes échafaudages de fer et à des portes en bois longues et épaisses dont chacune était attelée à quatorze buffles!

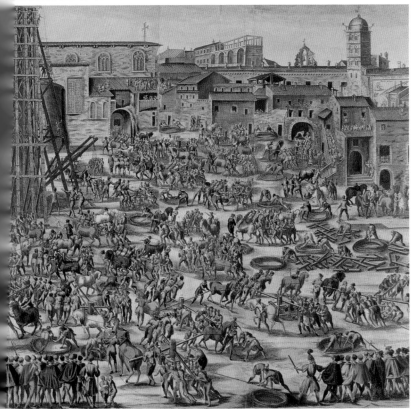

mission d'interdire la destruction des inscriptions. Raphaël ne fut pas très efficace en ce domaine mais son action fit réellement progresser la connaissance topographique de Rome. L'artiste choisit des collaborateurs compétents : l'épigraphiste Jacopo Mazochio et les antiquaires Fabio Calvo et Andrea Fulvio. L'équipe se proposait de réaliser une carte archéologique de Rome, «rétablie dans son antique figure, dans son primitif pourtour et dans les proportions de ses diverses parties». Après la mort de Raphaël, en 1520, ses amis poursuivirent son œuvre. Mazochio publia en 1521 un recueil d'inscriptions, Calvo la carte de Rome en 1527.

Enfin, le 10 septembre 1586 – un seul jour suffit –, l'obélisque fut dressé sur la place Saint-Pierre devant une foule silencieuse : haut de 25,36 m, le monolithe reposait désormais sur un socle énorme entouré de quatre lions de bronze.

Le sac de Rome brise pour vingt ans l'élan de l'archéologie

1527. Fulvio aussi publie ses *Antiquités de Rome*. Quelque temps après, le 6 mai, les troupes de Charles Quint s'emparent de la ville et la dévastent. Fulvio et Calvo périssent dans le massacre général. Cette razzia, une des plus destructrices que Rome ait jamais subie, marque un coup d'arrêt dans l'histoire de l'archéologie. L'étrange silence qui règne sur la ville à la fin de 1527, après les saccages, les fracas et les sacrilèges – «On n'entend plus de cloche, aucune église n'est ouverte, on ne dit plus de messe», écrit un contemporain –, pèse aussi sur l'activité intellectuelle. Les études de topographie ne reprendront que vingt ans plus tard avec les travaux de Ligorio, de Marliano – auteur d'une *Topographie de Rome* et animateur de promenades archéologiques – et avec la redécouverte des catacombes.

«Je dirigeai mon arquebuse en direction d'une échauffourée plus dense et plus acharnée et je pris pour point de mire, exactement au centre, un combattant que je voyais dominer les autres. Me tournant vite vers Alessandro et Cecchino, je leur ordonnai de tirer avec leurs arquebuses en leur montrant comment éviter le tir de ceux d'en face. Quand nous eûmes tiré chacun deux fois, je regardai avec précaution par-dessus la muraille et je remarquai parmi les ennemis une confusion extraordinaire : nos coups avaient tué Bourbon.**"**

B. Cellini,
Sa vie par lui-même.

«Rome apprit avec stupéfaction qu'elle avait, cachées sous ses faubourgs, d'autres cités inconnues»

Fulvio avait consacré les livres IV et V de son ouvrage aux basiliques et cimetières chrétiens. Avant lui, Pogge Bracciolini, Cyriaque d'Ancône et Maffio Vegio avaient recueilli des inscriptions chrétiennes, mais l'histoire de l'Eglise ne se développe que dans la seconde moitié du XVIe siècle, au sein de l'Oratoire de Philippe Neri, où Jean Borromée, Onofrio Panvinio, Baronius étudient les rites funèbres des premiers chrétiens. Dans ces études,

1527.
BORBONE OCCISO, ROMANA IN MOENIA MILES
CAESAREVS RVIT, ET MISERANDAM DIRIPIT VRBEM.

" A notre connaissance, il n'existe aucune représentation contemporaine du sac de Rome. [Sur celle-ci, postérieure à l'événement,] la vue est prise de l'est, la topographie urbaine est précisée à l'aide de petites inscriptions plus ou moins fautives; de minuscules scènes de violence et quelques installations militaires ont été glissées pour évoquer le sac de 1527. "

A. Chastel,
le Sac de Rome.

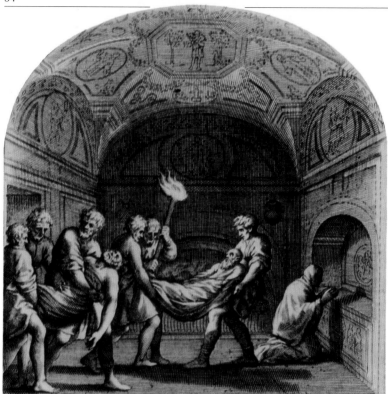

l'archéologie fait cruellement défaut. Les catacombes sont en effet presque toutes ensevelies, inexplorées et inaccessibles. Pour renouveler l'histoire paléochrétienne, il faudrait inventer une méthode nouvelle et surtout entreprendre des fouilles. Le 31 mai 1578, tandis que des travaux sont effectués dans une vigne qui borde la via Salaria, le sol s'effondre sur un cimetière souterrain, orné de peintures, d'inscriptions grecques et latines, et contenant... des sarcophages.

L'exploration du site, qui attire des milliers de curieux, est conduite par l'Espagnol Alfonso Ciacconio : il fait copier les peintures mises au jour, sans mener une fouille très approfondie. Il faut attendre encore quelques

Ces gravures de *Rome souterraine* illustrent les chapitres que Bosio consacra au martyre des premiers chrétiens et à leurs rites funéraires.

Nella Naue minore della Porta del Giu, nella base dell'ottaua colonna.

DEPS FELIX DIAC · V· IDVS·MARTIAS THEODOSIOXV· ETPLD·VALENTINIANO AAVV. CC·CON· SS.

années pour qu'un savant, Antonio Bosio, donne à cette découverte toute son extension.

Bosio, l'«inventeur» des catacombes

Bosio est âgé de dix-huit ans lorsqu'il pénètre pour la première fois dans une catacombe en 1593 – celle de Domitille, sur la via Ardeatina. Engagés dans l'immense labyrinthe, Bosio et ses amis s'avancent sans précaution dans les profondeurs de la terre, attirés par le mystère et le silence de ces lieux sacrés. Les galeries s'étendent de tous côtés en de longs méandres et les reflets des chandelles sur les parois impressionnent les visiteurs. Brusquement, l'obscurité complète. Certains de mourir, ils frémissent à l'idée de souiller de leurs cadavres ces lieux saints et inviolés. Après quarante-huit heures de tâtonnements, ils parviennent à retrouver l'entrée de l'hypogée, se promettant de ne plus tenter de telles expéditions sans une confortable provision de chandelles...

Bosio gardera un souvenir exalté et amusé de cette expérience qui confirme sa vocation : dès lors, il se consacre à l'exploration des catacombes, dont il donnera les conclusions dans son grand livre, *Roma sotterranea*, Rome souterraine, une description de toutes les catacombes et de leurs peintures. L'ordre topographique, la relation constante entre les fouilles, les textes et les inscriptions marquent un net progrès dans le domaine de l'archéologie chrétienne.

Mais Bosio reste indéniablement un homme du XVIe siècle à qui la méthode critique fait défaut. On imagine toutefois l'exaltation que fit naître la lecture de ce livre, publié seulement après sa mort, en 1634, et qui donnait de Rome l'image d'une nécropole sacrée.

Les travaux de Bosio furent utilisés par les catholiques et les réformateurs dans la querelle qui les opposait sur la fidélité de l'Eglise aux dogmes et aux pratiques des premiers temps. La découverte des catacombes portait désormais sur le plan des faits une controverse alimentée jusqu'alors uniquement par les textes.

Outre l'ardeur des archéologues, les ruines romaines éveillent des sentiments élégiaques ou bien offrent un cadre idéal à des scènes de genre. On ne reconnaît pas ici les monuments célèbres du Forum : arcs de Septime Sévère et de Titus, basilique de Constantin et Maxence, temple d'Antonin et Faustine, Tabularium... C'est à peine si l'on peut voir sur la droite les trois colonnes de ce qui sera identifié au XIXe siècle comme le temple de Vespasien. Le charme du lieu – et du tableau – tient uniquement à l'harmonieuse unité des ruines, de la nature, des activités humaines, à une sorte de bienheureuse nonchalance : un style qui annonce Nicolas Poussin ou Hubert Robert.

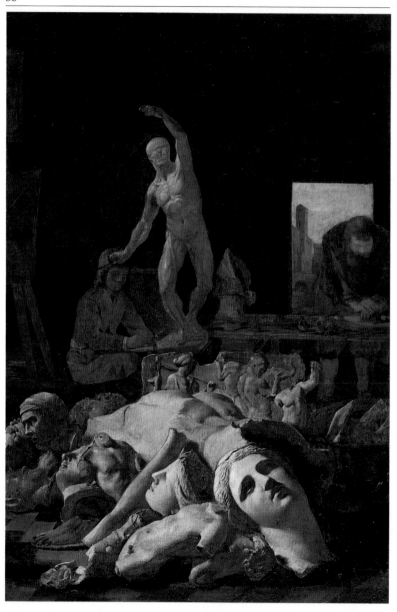

Une mode. Le sujet favori des artistes. Un lieu de pèlerinage inoubliable : au siècle des lumières, Rome et ses vestiges sont dans tous les cœurs. Tandis que l'«antiquomanie» gagne l'Europe entière, de riches collectionneurs inventent les musées et Joachim Winckelmann pose les bases de la première histoire de l'art.

CHAPITRE III

DES COLLECTIONS PRIVÉES À L'HISTOIRE DE L'ART

Têtes de statues, reliefs, fragments accumulés à terre sont autant de dépouilles prises au temps.
A droite le groupe des Dioscures sur le Capitole, une des sculptures les plus admirées au XVIIIe siècle.

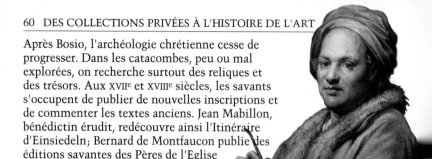

Après Bosio, l'archéologie chrétienne cesse de
progresser. Dans les catacombes, peu ou mal
explorées, on recherche surtout des reliques et
des trésors. Aux XVIIe et XVIIIe siècles, les savants
s'occupent de publier de nouvelles inscriptions et
de commenter les textes anciens. Jean Mabillon,
bénédictin érudit, redécouvre ainsi l'Itinéraire
d'Einsiedeln; Bernard de Montfaucon publie des
éditions savantes des Pères de l'Eglise
et des répertoires de sources pour
l'archéologie chrétienne; Ludovico
Antonio Muratori un commentaire
des Papyri de Monza, contenant la
liste des reliques au temps de Grégoire le Grand.

L'archéologie païenne suit les voies de la
Renaissance. Ainsi continue-t-on à mettre au jour

à l'occasion de grands travaux des monnaies d'or et d'argent, des mosaïques et des reliefs, à exhumer des statues – celles, par exemple, du temple d'Hadrien représentant les provinces soumises par l'empereur. Les édits des papes portant sur le contrôle des fouilles n'ont pour fin que d'accroître leurs collections : Clément XIV décide que les découvertes seront partagées entre quatre bénéficiaires, le pape, la Chambre apostolique, les propriétaires du sol et les financiers des travaux.

Le commerce des antiquités devient une activité lucrative

Le collectionnisme, et son corollaire naturel, le commerce, restent ainsi la motivation première des «archéologues» :

c'est pour vendre des antiques ou pour les copier que les Anglais Gavin Hamilton et Thomas Jenkins fouillent la villa Hadrienne en 1767, la via Appia en 1771. Restaurer des chefs-d'œuvre devient également très lucratif, et l'on se soucie peu de l'authenticité : sans scrupule, on assemble des fragments de diverses statues pour obtenir un Apollon, une Vénus ou une Diane, selon la demande. Tous les étrangers visitent ainsi, comme un musée, l'atelier de Cavaceppi, le plus habile de tous les restaurateurs romains.

Les acheteurs sont surtout anglais. Les plus connus, Richard Boyle et le comte Burlington, fondent en 1735 la Society of Dilettanti, la première association d'antiquaires, qui finance des publications d'ouvrages archéologiques et répand en Angleterre la mode du voyage en Italie, «le Grand Tour». Français et Allemands aussi, pris d'«antiquomanie», se passionnent pour Rome et l'Italie. On achète des copies et des moulages, moins chers et plus faciles à exporter. Goethe propose de créer à Rome une sorte

❝Les Anglois enlèvent tout d'Italie : tableaux statues... Cependant les Anglois enlèvent rarement du bon.❞
Montesquieu.

Bartolomeo Cavaceppi (en haut à gauche) possédait une collection personnelle d'art antique. Sous l'influence de Winckelmann, il mit au point une nouvelle méthode de restauration qui respectait styles, époques et matériaux d'origine : avec lui, la restauration acquiert ses lettres de noblesse.

De même que l'homme de lettres rassemble des textes anciens dans son cabinet, l'artiste réunit des sculptures antiques et des tableaux destinés à la décoration : son atelier devient un cabinet d'art, un «studio». C'est déjà le cas, au XVIᵉ siècle, pour Giuliano de Sangallo ou Sodoma. De la maison d'un graveur, Vasari disait aussi qu'«elle était pleine de tant d'objets que c'en était un prodige». Et ces objets, antiques et modernes, ce sont des marbres, des bronzes mais aussi des tableaux. L'art – et surtout l'art antique – ne sert pas seulement de modèle, il est une source de prestige social. Aux XVIIᵉ et XVIIIᵉ siècles, cette valeur se confirme : cardinaux et princes rivalisent de magnificence.

de musée de l'inauthentique, qui réunirait les moulages de tous les antiques mis au jour.

Les grands collectionneurs

Les palais de la Renaissance étaient décorés de fragments antiques; au XVIIIe siècle, on construit tout spécialement pour abriter de gigantesques collections. Le cardinal Albani, neveu du pape Clément XI, fait bâtir sur la via Salaria la première villa-musée : obélisques, colonnes, sarcophages, statues, bustes impériaux, se répartissent entre les buissons, les pins parasols et les fontaines; dans les murs des pièces intérieures sont encastrés des reliefs. Ici ne vivent que Dédale et Icare, Apollon et Diane, Orphée et Eurydice... En 1763, l'architecte Carlo Marchionni achève les travaux : la villa Albani est «un vrai séjour des fées». Pour le prince Borghese, les architectes Antonio et Mario Asprucci transforment la villa Pinciana en un musée d'antiques, aménageant dans les immenses jardins de fausses ruines – un stade, un temple de Diane, un temple d'Esculape...

Au fond du jardin de la villa Borghese (en bas à gauche), aménagé pour recevoir les statues antiques, le casino, construit entre 1613 et 1615, fut restauré et agrandi; les Asprucci y installèrent ce qu'on appelait «la reine des collections privées». Lors de l'occupation française, la collection fut considérablement amoindrie. Aujourd'hui la villa Borghese est le plus grand parc public de Rome, et le casino un de ses plus beaux musées.

Rien n'est trop beau pour le musée Pio-Clementino

Les papes Clément XIV et
Pie VI, à leur tour, installent
au Vatican le musée Pio-
Clementino, ouvert au public une
fois l'an. Pie VI ne regarde pas à la
dépense : il achète à Cavaceppi,
à Jenkins, à Hamilton, aux
Barberini, s'approprie les statues
de nombreux édifices, prenant au
château Saint-Ange le buste
d'Hadrien et une Minerve, au
Latran le sarcophage de sainte
Hélène. Il s'attribue le
droit de préemption
sur toutes les
découvertes et
réunit plus de
trois cents

PIVS·VII
P·M·
A·VII

MVSEVM · CLA
PIOCLEMENTIN

marbres au cours de son pontificat! Pie VI s'entoure d'agents et de conseillers de valeur, Gian Battista Visconti et son fils Ennio Quirino : tous deux rédigent le catalogue du musée – sept tomes d'érudition qui confirment la réputation de la collection vaticane.

Le pape organise aussi des explorations dans les Etats pontificaux, notamment au Latium. A Castrum Novum, ancienne colonie romaine, sont découverts des fragments de statues, inscriptions et monnaies d'or d'époque

F ondé par Clément XIV (1769-1774), enrichi par Pie VI (1775-1799), le musée Pio-Clementino fut encore agrandi, sous le pape Pie VII (1800-1825), par la création du musée Chiaramonti, dont cette fresque constitue l'allégorie.

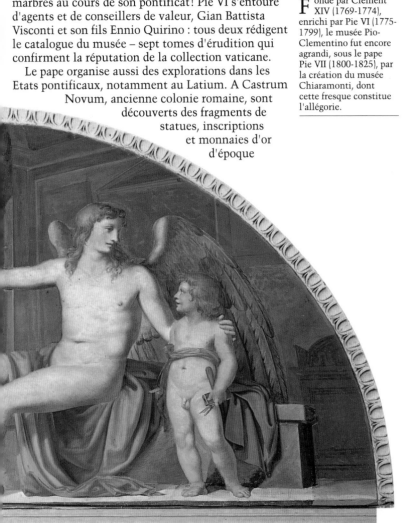

AMONTANVM
· ADIECTVM

néronienne; à Salone,
la Vénus au bain,
aujourd'hui au Vatican.
A Otricoli, située
à 75 kilomètres au nord
de Rome, la ville antique
est quasiment mise au jour
(basilique, théâtre,
thermes) et son plan
dressé.

L'entrée actuelle du sépulcre des Scipions (à gauche) s'ouvre sur la via Appia. Autrefois la façade de l'édifice (sur une gravure de Piranèse à droite) était orientée au nord-ouest. Il n'en reste plus aujourd'hui qu'une petite partie.

Les rites funéraires des anciens Romains se précisent lors de la découverte du tombeau des Scipions

A Rome, au mois de mai 1780, sous leur terrain situé juste avant la porte Saint-Sébastien, les frères Sassi

découvrent plusieurs chambres souterraines contenant des sarcophages. Le sépulcre appartient à la grande famille romaine des Scipions, célèbre surtout pour avoir, au IIIe siècle av. J.-C., vaincu les Carthaginois et leur chef Hannibal.

Les visiteurs sont attirés aussitôt par le sarcophage le plus ancien, celui de Barbatus, vainqueur des Samnites et des Etrusques en 298 av. J.-C., dont l'épitaphe loue les mérites : «Lucius Cornelius Scipion Barbatus, fils de Cnaeus, homme courageux et sage; il fut chez vous consul, censeur, édile. Il prit Taurasia et Cisauna dans le Samnium, assujettit toute la Lucanie, d'où il emmena des otages.»

Le labyrinthe sépulcral entièrement exploré livre encore une dizaine de sarcophages datés entre le IIIe siècle av. J.-C. et le Ier après. Pie VI fait porter au musée Pio-Clementino le sarcophage de Barbatus et les inscriptions; les autres sarcophages sont brisés, le mobilier funéraire vendu – et les os dispersés.

Au XVIIe siècle, on croyait encore que, jusqu'à une date avancée de l'Empire, seule l'incinération avait

S itué sur la via Appia, après la porte Saint-Sébastien, le columbarium des affranchis d'Auguste (ci-dessous) était un vaste édifice, constitué de trois salles adjacentes, où s'ouvraient un millier de niches destinées à recevoir les urnes; la gravure de Piranèse suggère parfaitement l'impression de grandeur que ressentirent les découvreurs en pénétrant dans ce sépulcre. Au XIXᵉ siècle, d'autres columbariums seront découverts sur cette même via Appia, notamment avant la porte Saint-Sébastien : celui de Pomponius Hylas, de petite taille mais richement décoré, et plusieurs édifices dans l'ancienne Vigna Codini.

été pratiquée : une thèse corroborée par la découverte, en 1777, de l'*ustrinum* d'Auguste, enceinte sacrée où furent brûlés les corps de l'empereur, de sa famille et de ses premiers successeurs. Avec le tombeau des Scipions, venait au jour le premier témoignage attestant que les Romains connaissaient aussi, en des temps reculés, l'usage de l'inhumation. Depuis lors, d'autres découvertes ont confirmé l'existence simultanée des deux coutumes funèbres, révélant parfois la présence d'urnes et de sarcophages au sein d'un même sépulcre.

Les ruines du palais de Domitien

La colline du Palatin était réservée, dans l'Antiquité, aux palais des empereurs. Depuis le Moyen Age, vignes et pâturages la recouvraient, laissant voir

L'idée d'aménager des jardins sur le Palatin fut conçue par le pape Paul III, lors de la construction de la voie triomphale sur le Forum, destinée au passage de l'empereur Charles Quint en 1536. Le choix de la colline où se trouvaient les palais des empereurs romains était avant tout politique : le pape apparaissait ainsi comme le véritable souverain de Rome et son mécène authentique.

seulement quelques ruines.
En 1535, Alessandro Farnese
en acheta une partie et
aménagea, sur les structures
antiques, une splendide villa-
jardin dont on voit les
vestiges aujourd'hui.
A l'extinction de la famille
Farnese, les ducs de Parme,
nouveaux propriétaires,
cultivèrent la bergamote, la vigne et les artichauts
sur le Palatin, en y cherchant fébrilement des trésors.
A partir de 1720, François Ier, duc de Parme, organisa
une fouille systématique du site sous la direction
d'Ignazio de Santi et du comte Suzzani, confiant le
soin des relevés à Francesco Bianchini, alors
commissaire aux Antiquités.

Les travaux furent limités à la façade sud-
est de la colline, c'est-à-dire à une partie de
l'ancien palais des Flaviens, construit de 82
à 96 ap. J.-C. par l'empereur Domitien. Les
fouilleurs exhumèrent trois superbes salles :
la basilique à voûte hémisphérique ; la salle du
trône aux seize colonnes cannelées de marbre
et aux douze niches destinées à recevoir douze
statues colossales en basalte noir ; enfin

Cette monnaie
de l'époque de
Septime Sévère montre
un édifice en forme de
cirque ; il s'agit du stade
de Domitien – fin du
Ier siècle –, aujourd'hui
piazza Navona. Sous
les lettres P.P. – Père
de la Patrie –, sont
représentées différentes
scènes de compétition :
à gauche la course et la
lutte, à droite le pugilat,
au centre la
proclamation et le
couronnement du
vainqueur.

le «laraire». Dans cette salle, on retrouva une pierre sombre, haute d'environ un mètre, de forme conique et pointue. Aucun des savants de l'époque ne put en comprendre la signification et on ne sait ce qu'il en advint. Peut-être s'agissait-il de la Pierre noire, symbole de la déesse Cybèle, la Grande Mère syrienne, qui avait été transportée à Rome à la fin du IIIe siècle av. J.-C. pour conjurer le danger carthaginois.

Ce palais d'un luxe inouï ne fut pas fouillé mais pillé : les deux colonnes cannelées, qui en flanquaient la porte, toutes deux en marbre jaune antique, furent dispersées; les corniches et les sculptures disparurent – le duc de Parme conserva pour lui deux Hercule, un Bacchus et une tête de Zeus –; les reliefs subirent le même sort; enfin les fresques magnifiques furent endommagées. On les avait trouvées, sous le palais, dans deux salles d'une époque antérieure : la maison

Comme les jardins Farnese, où la verdure, les fontaines et les sculptures antiques avaient la plus grande place, la colline du Palatin (à droite) fut, au XVIIIe siècle, le centre d'une intense activité archéologique avant de devenir le lieu de promenades romantiques.

des Griffons, appelée ainsi à cause des griffons de stuc qui en composaient la décoration, et surtout l'Aula Isiaca, maison d'époque augustéenne avec peintures à sujets égyptiens.

S ur la voie qui mène du Circus Maximus à l'arc de Titus, s'élève le plus grand des arcs triomphaux de Rome, érigé par Constantin au lendemain de sa victoire du Ponte Milvio en 312, commémorant la légendaire apparition en songe de la Croix à l'empereur. Pendant longtemps l'arc fut difficile à dater en raison de la présence d'éléments architecturaux et de sculptures de différentes époques; autant de fragments que Constantin avait en fait réemployés. Le déblaiement de l'édifice, ici enterré à demi, ne commencera qu'à la fin du XVIIIe siècle.

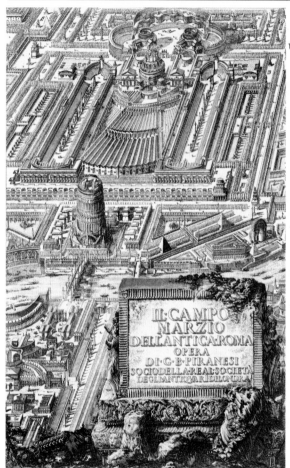

La carte de Piranèse, inspirée de la Forma Urbis, présente un ensemble d'édifices irréguliers et symétriques, ronds et rectangriques, presque toujours parfaits, qui offrent de la cité antique une représentation complètement imaginaire.

Tandis que le palais révélait la nature baroque de l'art flavien, on découvrait dans les peintures, datées du début du même siècle, un style plus classique, qu'on devait retrouver à Pompéi.

Les peintres des ruines romaines

Parallèlement au développement des fouilles, et dans la tradition de la Renaissance, les relevés effectués sur le terrain, les cartes, les dessins d'architecture se

A l'époque de
Piranèse, le Forum
n'est qu'un champ où
apparaissent çà et là des
fragments de ruines
antiques encore
ensevelies.

développent au XVIIIe siècle, favorisés le plus souvent
par la passion de certains éditeurs et libraires comme
Antoine Lafréry, un Français installé à Rome de 1540
à sa mort en 1577, qui consacre un tiers de son
activité aux publications sur l'Antiquité. De leur
côté, les peintres Poussin, Hubert Robert, Pannini,
accordent de plus en plus de place aux ruines, traitées
comme des éléments de paysage : ces *vedute*
rivalisent de succès avec les traditionnelles gravures.

Reliquiae Pontis Triumphalis seu Vaticani
Vide indicem ruinar. num 36.

N é à Venise en 1720,
Piranèse étudie
d'abord l'architecture
puis la gravure. C'est à
Rome, où il s'installe
vers 1740, jusqu'à sa
mort en 1778, qu'il va
atteindre la perfection
de son art et trouver
dans les ruines son
inspiration.

Les outrages du temps

L e Colisée fut pillé
et utilisé à des fins
multiples : Sixte Quint
songea à le transformer
en manufacture de
laine, d'autres en firent
un lieu de dévotions;
on y tint même des
séances de
nécromancie. Il fut
gravement endommagé
par un tremblement de
terre en 1703;
Clément XI (1700-1721)
fit alors fermer
les arches avec des
palissades de bois, que
montre encore cette
peinture de Canaletto.
La riche végétation qui
couronne l'édifice n'est
ni une invention, ni une
exagération; le Colisée,
comme de nombreuses
ruines, a été recouvert
d'une flore naturelle,
dont on a cru
dénombrer de trois
cents à quatre cents
espèces!

Du temple à l'église

C es deux temples républicains situés près du Tibre ne furent préservés que parce qu'ils furent transformés en églises : le temple de Portunus – lié au port ouvert sur le Tibre – reçut ainsi le nom de Santa-Maria-Egiziaca; le temple rond, dédié à Hercule vainqueur, celui de Santo-Stefano, puis en 1560 celui de Santa-Maria-del-Sole. Les deux temples furent au cours des siècles enserrés dans des constructions modernes que les archéologues ne commencèrent à dégager qu'au XIXe siècle.

Fragments d'antiques

C ette *Galerie de Rome antique*, en même temps qu'une *Galerie de Rome moderne*, fut réalisée par Pannini (1691-1765), peintre et décorateur de palais pour le duc de Choiseul, ambassadeur de France à Rome en 1757. On retrouve dans ce tableau les grands thèmes de l'époque : goût de la vedute, de la décoration, de la collection de fragments antiques – et du jeu. Il faut s'amuser à identifier les sculptures: à gauche, l'*Hercule Farnese*, le *Gaulois mourant*; à droite, le *Tireur d'épine*, le *Laocoon*. Parmi les monuments : à gauche l'arc de Constantin, l'arc de Titus, les trois colonnes du temple de Vespasien; en haut le Panthéon, à droite le Colisée... Une recherche infinie, miroir de l'infinie remontée des archéologues dans le temps.

Dans le débat qui s'élève entre les partisans des dessins d'architecture et les paysagistes, le Vénitien Piranèse joue un rôle central. Son œuvre réunit toutes les tendances de l'époque, des *Vedute* aux *Antichità romane* de 1756, relevés des vestiges antiques, et aux *Prisons* de 1750, sorte d'«archéofiction». La complexité de son art se retrouve dans ses plans de Rome, qui traduisent, comme chez tant de ses prédécesseurs du XVIe siècle (Ligorio) et du XVIIe (Falda et Tempesta), une vraie passion des vestiges et fragments. Sa carte du Champ de Mars est ainsi conçue comme un fragment de la carte antique de Rome, la Forma Urbis, mais il y donne son idée de la magnificence romaine plus qu'il ne restitue la structure du site. Inversement, son plan de la villa Hadrienne possède une indéniable valeur scientifique.

P our Winckelmann, «la noble simplicité et la tranquille grandeur» de l'art grec se confirment dans la pure blancheur des statues. Quatremère de Quincy formulera le premier l'hypothèse de leur polychromie.

La naissance de l'histoire de l'art

L'originalité architecturale et spatiale de cette villa antique renforçait chez Piranèse la vision d'un art romain monumental et inventif, qu'il défendait contre le savant Mariette, adepte de l'art grec. La querelle entre les partisans des Grecs et ceux des Romains, qui oppose souvent Français et Italiens, fait entrer l'archéologie dans l'époque moderne.

Pour le Prussien Johann Joachim Winckelmann, installé à Rome depuis 1755, l'art grec seul s'est élevé au Beau idéal, selon trois principes – l'unité, la simplicité des proportions et la dimension contemplative. Aussi, «le seul moyen pour nous d'atteindre la grandeur et, si c'est possible, d'être inimitables, est d'imiter les Anciens». A partir de cette théorie – qui est à l'origine du mouvement néo-classique dont la faveur va se répandre dans toute l'Europe – Winckelmann pose les bases de la première histoire de l'art, distinguant quatre périodes : l'antique (la Grèce

archaïque), le sublime (Vᵉ siècle av. J.-C.), le Beau (IVᵉ siècle) et le décadent (derniers siècles av. J.-C. et période romaine). Rome y perd en prestige, mais cette classification permet une véritable démarche historique que les antiquaires et les cardinaux avaient toujours négligée, poussés les uns par le désir d'accumuler, les autres par le souci du prestige social. De même, la restauration est soumise à des règles strictes : étude préalable des styles et datation précise. Winckelmann fait ainsi de l'art antique, jusque-là convoité ou imité, un objet de connaissance historique, et de l'histoire de l'art une des branches principales de l'archéologie.

Ironie de l'histoire, Winckelmann, théoricien érudit et amoureux de l'art grec, auteur d'une *Histoire de l'art chez les Anciens*, ne savait pas qu'une grande partie des statues qu'il admirait comme œuvres grecques étaient des copies d'époque romaine... Il aura cependant fait école : la découverte des originaux en Grèce et en Asie Mineure viendra corroborer, chez ses disciples, ses nouvelles théories.

Né en 1717, fils d'un savetier, Winckelmann poursuit dans des conditions difficiles des études de théologie et d'humanités. Sa passion pour la mythologie et l'art antiques le conduisent à Rome. Il visite les fouilles d'Herculanum, de Pompéi et de Paestum, se lie d'amitié avec le cardinal Albani qui l'engage comme bibliothécaire. Il est assassiné par un inconnu en 1768.

« **L**e Pape livrera à la République
française cent tableaux, bustes,
vases et statues au choix des
commissaires qui seront envoyés à Rome,
parmi lesquels objets seront compris
le buste en bronze de Junius Brutus
et celui en marbre de Marcus Brutus,
tous les deux placés au Capitole, et
cinq cents manuscrits au choix
desdits commissaires.»

Article 8 de l'armistice de Bologne.

CHAPITRE IV
LA ROME DE NAPOLÉON

L'administration
napoléonienne n'a
cessé de s'intéresser
au Colisée, multipliant
les opérations de
déblaiement, les essais
de restauration, mais
aussi les fouilles qui
livrèrent de nombreux
fragments de marbre et
des monnaies.

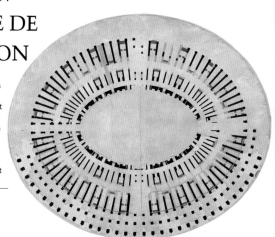

L'occupation française de Rome débute par une vaste spoliation, que rend officielle l'article 8 de l'armistice de Bologne, signé entre le pape Pie VI et le général Bonaparte, représentant du Directoire, et confirmé par le traité de Tolentino en 1797. Comme dans d'autres villes italiennes, les Français réquisitionnent les grandes fortunes privées – celles des Braschi, des Borghese – et les riches collections du Vatican et du Capitole.

Bonaparte, alors en Egypte, ne verra pas arriver à Paris, le 28 juillet 1799, sur des chars richement caparaçonnés, ce long cortège de dépouilles romaines, les toiles des grands maîtres (Raphaël, Titien), les manuscrits et les sculptures antiques, *l'Apollon du Belvédère*, *le Laocoon*, *le Tireur d'épine*, et tant d'autres merveilles qui vont constituer le fonds antique du musée de la République, appelé ensuite musée central des Arts, et installé au Louvre.

La préparation du musée, dont la monarchie disparue avait déjà posé les bases, se déroule sur deux ans. Grâce au concours d'Ennio Quirino Visconti, le musée est inauguré en novembre 1801, le 18 brumaire de l'an IX, avec cent dix-sept œuvres. C'est le dernier exemple de ces grandes collections composées uniquement d'art romain. Après les découvertes du XVIIIe

Cette fresque de Francesco Hayez évoque le retour à Rome des trésors spoliés, quelques années auparavant, par les troupes françaises. Au premier plan, une personnification du Tibre entouré de *putti*, qui regardent vers le monte Mario l'arrivée du cortège; sur la gauche, le portrait de W. R. Hamilton, qui joua un rôle important dans la récupération du patrimoine artistique.

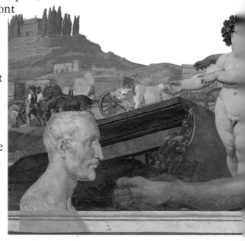

et surtout du XIXᵉ siècle, les musées réunissent des pièces de provenance plus variée, suivant l'exemple du British Museum, la plus grande galerie d'art grec de l'époque.

Le traité de Vienne de 1815 met fin au Musée napoléonien avec des clauses très strictes de restitution. Par l'entremise du sculpteur Canova, le pape récupère presque tous ses biens. Certaines œuvres sont achetées par les Français, notamment une bonne partie de la collection Borghese, qui constitue le premier fonds du Musée royal, futur musée du Louvre, dont le catalogue est dressé en 1817 par le même Visconti – lequel reste ainsi une vingtaine d'années à Paris.

Pie VII et la protection juridique du patrimoine artistique italien

Ces spoliations ont été durement ressenties. Dans ses *Lettres à Miranda*, publiées pendant la campagne

L e musée Chiaramonti témoigne de l'activité artistique au cours du pontificat de Pie VII (1800-1822), protecteur des études antiques, des beaux-arts et restaurateur du patrimoine artistique italien. Une série de fresques, commandées par A. Canova (1757-1822) à différents peintres, devait illustrer les épisodes de cette restauration et l'installation des nouvelles collections.

d'Italie, Quatremère de Quincy, architecte français féru d'archéologie, se prononce pour l'intégrité du patrimoine italien et, montrant «combien il serait dommageable pour les œuvres d'art d'être déplacées», formule pour la première fois l'idée d'une relation nécessaire entre un objet et son lieu d'origine. Lorsque Pie VII devient pape en 1799, la question du patrimoine le préoccupe aussi. Par l'édit de 1802, il interdit de fouiller et d'exporter des objets d'art sans autorisation papale, oblige les particuliers à dresser un inventaire annuel de leurs collections, octroie enfin un budget pour développer les musées et améliorer l'enseignement de l'archéologie.

«Des étages supérieurs du Colisée, on voit les galériens travailler en chantant...**»**
Stendhal, 17 août 1827.

Avec ces mesures, confirmées en 1820 par l'édit de Pacca, Pie VII établit la première protection étatique

du patrimoine artistique, qui annonce la disparition progressive des collections privées au cours du XIXᵉ siècle.

Deux hommes, désignés pour appliquer ces décisions, vont exercer pendant plus de vingt ans leur influence sur l'art et l'archéologie : Antonio Canova, nommé surintendant aux Trésors artistiques, reçoit la mission d'inspecter et d'enrichir les musées; Carlo Fea, commissaire aux Antiquités, celle de surveiller les monuments antiques et les églises. Leurs juridictions s'étendent à tous les Etats pontificaux.

Le dégagement du Forum mobilise les archéologues

Les fouilles, dirigées par Carlo Fea, reprennent, principalement sur le Forum romain. Au début du XIXᵉ siècle, c'est un champ traversé d'une double rangée d'ormes et bordé de maisons isolées et de boutiques de tailleurs de pierre; des bêtes paissent près des ruines enterrées à demi; une grande vasque, placée en 1565 près du temple de Castor et Pollux, sert d'abreuvoir. La tâche principale des archéologues consiste à déterrer les ruines, afin de retrouver le niveau antique du sol, puis à les isoler par une enceinte. Ces dispositions sont appliquées tout d'abord aux arcs de Constantin et de Septime Sévère, tandis qu'on commence à déblayer le Colisée et à le restaurer. Une innovation importante : des prisonniers prennent part aux fouilles; ils sont plus de cent sur le chantier de l'amphithéâtre, boulets aux pieds, surveillés par des soldats.

Faute de moyens financiers, Pie VII ne parvient pas à mettre en place un véritable programme de rénovation. Les quelques travaux entrepris au début de son pontificat sont bientôt ralentis ou suspendus tandis que Rome se délabre et se dépeuple : en 1795,

Cette vue du Forum, depuis le Capitole, montre l'état des fouilles au début du XIXᵉ siècle, avec notamment la mise en valeur de l'arc de Septime Sévère, déblayé et entouré d'une enceinte. On mesure ici l'immensité des travaux qui restaient à accomplir et la quantité de terre qu'il aura fallu transporter pour égaliser le niveau du sol sur tout le site. Au centre du tableau, on peut voir la colonne Phocas et, à droite, les colonnes du temple de Saturne.

on ne compte que cent soixante-cinq mille habitants, cent trente-cinq mille en 1805, sept fois moins qu'au début de l'Empire romain.

Aux yeux du premier secrétaire de l'ambassade de France, François René de Chateaubriand, qui découvre cependant l'«admirable solitude» de la campagne romaine, Rome est sur le point de sombrer : «Assises dans la même poussière, Rome païenne s'enfonce dans ses tombeaux et Rome chrétienne redescend peu à peu dans ses catacombes.»

Rome vit au rythme des grands chantiers

Une fois devenue «ville libre et impériale» en 1809, puis département de l'Empire français en août de la même année, Rome, que Napoléon déclare seconde capitale de l'Empire, reçoit d'importantes subventions. L'archéologie, engagée dès lors sur les voies de la modernité par les architectes et archéologues néo-classiques, se transforme rapidement. Jusqu'à cette époque, les fouilles avaient été conduites de manière dispersée : on creusait près d'un monument, recherchant ses «trésors», puis on refermait l'excavation que l'on abandonnait. Désormais, il ne s'agit plus seulement d'exploiter une ruine mais de la mettre au jour selon des méthodes éprouvées par Pie VII, et plus encore de restaurer de grands ensembles, comme Murat l'expérimente à Pompéi, et d'en comprendre les structures architectoniques. Les Français vont faire à Rome l'expérience des grands chantiers, posant pour la première fois un problème que les urbanistes n'ont toujours pas résolu : comment laisser coexister les ruines dans un tissu urbain moderne ? Il faut, dit-on à

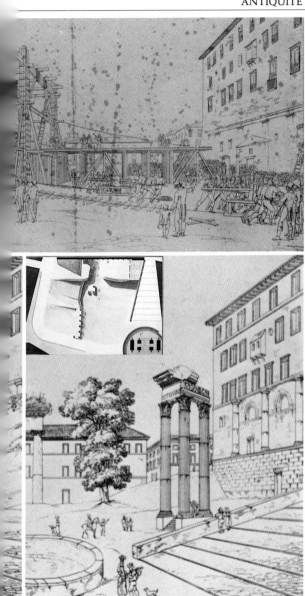

Le dégagement du temple de Vespasien, alors appelé temple de Jupiter Tonnant, est une des réalisations les plus spectaculaires de l'administration française. Sur la gravure de gauche, on voit les chapiteaux de trois colonnes saillir de la terre qui s'est accumulée au pied du Tabularium – le grand bâtiment à droite dans la gravure ci-contre – qui réapparaît après déblaiement.

l'époque, distinguer deux cités : l'une doit être
modernisée, et les monuments inutiles détruits – les
églises, par exemple, jugées trop nombreuses – l'autre
restaurée par de grandes fouilles.

L'archéologie officielle se dote d'institutions

Le gouvernement français, représenté par la Consulta
extraordinaire, crée d'abord différentes institutions, à
la tête desquelles on retrouve les mêmes hommes :
les Italiens Canova, Fea, Valadier, Guattani,
Camporesi; les Français de Tournon, préfet de
Rome, Daru et Pâris, directeur de la villa Médicis.
La Commission des monuments antiques et des
bâtiments civils, fondée en 1810 et remplacée en
1811 par la Commission aux embellissements de
Rome, confie au préfet le rôle principal : c'est lui
qui délivre les permis de fouilles et qui contrôle le
déroulement des travaux et le sort des découvertes.

L e baron Daru (1767-
1829), intendant de
la Couronne à Rome
sous l'Empire, était,
selon Stendhal, «un des
hommes les plus faits
pour chérir le nom
français».

  L'enseignement de l'archéologie est aussi
réorganisé. Filippo Aurelio Visconti, le frère d'Ennio
Quirino, propose de diviser la matière en trois parties :
la Mythologie, l'Histoire de l'art et l'Archéologie

"Les trois grands arcs que nous voyons occupaient toute la longueur de la nef à droite de l'entrée [...]. La voûte était soutenue par huit grandes colonnes [...]. Les fouilles ordonnées par Napoléon ont découvert le pavé de ce monument : il est composé de marbre violet et de marbre cipolin.**"**

Stendhal,
25 janvier 1828.

proprement dite, utile à la fois aux artistes et aux historiens, et dont l'objet est «en théorie et en pratique, d'ordonnancer, interpréter, connaître, distinguer et apprécier les œuvres antiques, c'est-à-dire leur époque, leur valeur, ce qu'elles représentent et signifient».

De toutes les mesures mises en place, la dernière est la plus originale. Dans cette ville délabrée, les Français avaient trouvé aussi une population misérable et sans travail. On décida d'employer les pauvres aux chantiers de fouilles. Regroupés en contingents de cent personnes (hommes, femmes et enfants), ils sont quatre cents puis deux mille à travailler pour l'administration, qui se félicite de l'efficacité du système, comme l'écrit de Tournon dans ses *Etudes statistiques sur Rome* en 1831: «C'est grâce à ces fouilles que le goût du travail se répandit parmi les hommes dont la jeunesse s'était écoulée dans la misère et l'insouciance de l'avenir. Dans les premiers temps, les bras manquaient aux travaux regardés comme trop pénibles; plus tard les travaux ne suffisaient plus à

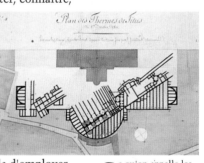

Ce qu'on appelle les thermes de Titus est en réalité la Maison d'or de Néron, recouverte par les thermes de Trajan où, en 1506, fut découvert le fameux *Laocoon*. A la recherche de nouveaux trésors, l'administration française fit effectuer des fouilles qui restèrent infructueuses. Elles permirent néanmoins la découverte de nouvelles salles et des substructions des thermes de Trajan.

ceux qui sollicitaient un emploi de leur force, tant l'exemple avait agi, tant l'éducation industrielle du peuple avait été prompte!»

Un chantier exemplaire : la place Trajane

La colonne, que l'empereur Trajan fit élever en 113 ap. J.-C. pour commémorer sa victoire sur les Daces, avait traversé les siècles sans changer de nom ni subir de dommage véritable. Seule la statue de l'empereur, qui la surmontait, était remplacée par celle de saint Pierre depuis la fin du XVIe siècle. Près de la colonne s'étaient accumulés des détritus, et des édifices plus récents l'entouraient.

Pie VI avait déjà fait dégager sa base jusqu'au pavé antique, de sorte qu'elle se trouvait dans une sorte de fosse, toujours bordée au sud par les couvents Sainte-Euphémie et Saint-Esprit, à l'ouest par des bâtisses et au nord par deux églises. Le projet de 1810 consiste à élargir la place, la creuser pour rétablir partout un niveau de sol identique, et la fouiller. La destruction des bâtisses et des deux monastères, entreprise en mars 1812, est achevée en décembre. Les fouilles, dirigées par Valadier, commencent en mai. Les premiers résultats ne sont pas très encourageants : quelques colonnes brisées, un vase, une tête... Un an plus tard, on trouve différentes statues, une tête d'impératrice, un fragment de statue colossale en porphyre; on met surtout au jour l'ancienne basilique : sa partie centrale, plusieurs éléments du portique des bibliothèques, le cortile de la colonne. De la basilique elle-même, on isole vingt bases de colonnes et des restes de pavement en marbre. L'espace ainsi libéré présente l'aspect d'une fosse immense entourée d'une enceinte. Au cours du XIXe siècle, les travaux seront poursuivis jusqu'au grand dégagement des années 1930, organisé par Mussolini.

Le «Jardin du Capitole», un projet déraisonnable

Près du forum de Trajan, le quartier le plus ancien de Rome présentait une image de désolation et de délabrement. L'arène du Colisée était entièrement recouverte de terre et de détritus; une partie de la façade était effondrée, l'autre soutenue par une sorte

Napoléon fait ériger, à Paris, la colonne Vendôme (ci-dessus) sur le modèle de la colonne Trajane.

Après les fouilles napoléoniennes, Pie VII, en 1820, fait entourer la place Trajane d'une enceinte.

Le temple d'Antonin et Faustine fut construit en 141 ap. J.-C. par Antonin le Pieux en l'honneur de son épouse Faustine, puis dédié à l'empereur à sa mort en 161. Le temple est un des monuments de Rome et du Forum les mieux conservés : il fut aménagé en église (San-Lorenzo-in-Miranda) au Moyen Age, ce qui favorisa sa survie.

d'éperon construit en 1803; les travaux effectués sous Pie VII n'avaient pas vraiment changé la physionomie du Forum; quant aux deux temples situés près du Tibre, ils paraissaient s'enfoncer dans le sol.

Pour aménager ce groupe monumental, on imagina de créer une grande promenade archéologique, le «Jardin du Capitole», qui devait réunir le Capitole, le Forum et le Colisée. Ce projet trop coûteux ne fut jamais mené à terme : il fallait détruire les bâtiments modernes – en provoquant le mécontentement des populations concernées –, dégager les monuments, et surtout mettre à niveau les sols sur une étendue gigantesque. En dépit de ces obstacles, les travaux débutèrent en 1810 : six cents ouvriers furent employés au Forum! Ils commencèrent par déterrer le temple de la Concorde, le temple d'Antonin et Faustine et la basilique de Maxence, dont le pavé était à ce point enterré que les voûtes s'élevaient à peine au-dessus du sol; un an plus tard, les trois nefs étaient dégagées jusqu'au pavé. Près de l'arc de Titus, on abattit le couvent de Santa-Francesca-Romana qui s'y appuyait, ainsi que l'église élevée sur les ruines du temple de Vénus et de Rome; on dégagea enfin les bases des deux édifices antiques.

Un jeune architecte français, J.-F. Ménager, pensionnaire de l'académie de France, effectua la fouille du temple d'Antonin et Faustine. Il dégagea la base des colonnes et l'escalier de l'édifice, et en fit une reconstitution qui reste toutefois plus idéale qu'archéologique.

Les architectes au secours de l'archéologie

L'architecte Giuseppe Valadier collabore à tous les projets. S'il n'est pas surprenant de rencontrer son nom dans la plupart des programmes de modernisation de Rome – aménagement de la place du Panthéon, construction du palais du Pincio –,

Ce dessin de la façade comporte de nombreuses erreurs ; la représentation de l'apothéose d'Antonin et Faustine sur le fronton, par exemple, est totalement imaginaire.

il est beaucoup plus étonnant de le voir à l'œuvre sur de nombreux chantiers.

Les architectes participent activement aux travaux archéologiques et modifient de façon décisive la conception de la fouille : ils imposent le dégagement complet des substructions et l'idée d'une mise en valeur d'ensembles architecturaux, qui permettent de reconstituer la topographie complète d'un site. Telle est la démarche de Carlo Fea, qui tente de retrouver la structure du Forum et projette en même temps une vaste fouille d'Ostie; telle est aussi la vision de Giuseppe Guattani, membre de la Commission des embellissements de Rome et associé au Rétablissement du Forum. Dans son *Guide de Rome*, il conseille de monter sur le faîte de la colonne Trajane pour comprendre la configuration de la ville, et recommande de se servir d'une carte schématique des monuments, pour percevoir la dynamique de leurs rapports. Les guides du XIXᵉ siècle ne sont plus seulement des descriptions de la ville; les analyses topographiques, le bilan des découvertes archéologiques éclairent l'organisation structurelle des sites, mais aussi de la ville entière.

L'heure des bilans

Les projets de cette époque furent sans doute trop ambitieux et souvent irréalistes. L'occupation française, d'abord «infâme et spoliatrice», ensuite

Outre les travaux de restauration des monuments antiques, Napoléon s'est aussi attaché à l'embellissement de la ville moderne : restauration du ponte Sisto, agrandissement de la place du Panthéon, et surtout ouverture d'une promenade au nord de Rome. Mais la plupart des projets restèrent dans les cartons. En revanche, la zone de la piazza del Popolo – le Pincio notamment – fut transformée, selon les termes de l'article 7 du décret du 27 juillet 1811 : «Les projets qui nous ont été soumis pour la promenade du côté de la place du Peuple sont approuvés. A cet effet le couvent del Popolo et ses dépendances seront démolis, cette promenade s'appellera le jardin du Grand César.»

«inique», selon les mots de Chateaubriand, souleva une hostilité à peu près générale. En revanche, l'archéologie reçut une impulsion décisive. Stendhal, esprit critique toujours prompt à s'enflammer, pouvait en témoigner : «Grâce à d'immenses travaux, les monuments anciens ont tout à fait changé d'aspect depuis 1809, et la science qui s'en occupe est devenue plus raisonnable.»

De grands chantiers scientifiques s'ouvrent au XIXe siècle sur le Forum, la via Appia et dans les catacombes. L'époque est aussi aux classifications, à l'organisation de la matière – textes, inscriptions, objets –, accumulée depuis la Renaissance dans le désordre et la précipitation.

CHAPITRE V

L'ÂGE DE RAISON

En mai 1864, la foule se presse au palais du cardinal Righetti, situé sur les ruines du théâtre de Pompée, pour assister à l'enlèvement d'un Hercule en bronze doré, haut de 3,82 m. «On dit que le pape aurait acheté la statue pour soixante-dix mille écus», écrit un historien de l'époque.

A la veille du deux mille six cent seizième anniversaire de Rome, le 20 avril 1863, une nouvelle agite les cercles scientifiques : une statue d'une importance exceptionnelle vient d'être découverte à Prima Porta. Les érudits savaient depuis longtemps que Livia Drusilla, épouse de l'empereur Auguste, s'était fait construire une villa somptueuse au nord de Rome. Un nommé Giuseppe Gagliardi repère le site et découvre dans son sous-sol, près d'une grande salle décorée de paysages bleu et vert, une statue de l'empereur Auguste, parfaitement conservée «jusqu'à la pointe du nez». Le pape Pie IX réclame instamment le chef-d'œuvre : il serait si bien au musée Chiaramonti !

Au bonheur des archéologues amateurs

Comme Gagliardi, amateurs et professionnels obtiennent sans difficulté de la Chambre apostolique l'autorisation de fouiller pour leur compte – en échange d'un partage des découvertes. Lorenzo Fortunati trouve le pavé de l'ancienne via Latina, située au sud de Rome et, sur les bas-côtés, quelques-unes de ses tombes, riches en peintures, stucs et mobilier funéraire – lequel est en partie vendu et dispersé. Au sud de l'Aventin, se trouvait l'ancien port de Rome, l'Emporium, construit au IIe siècle av. J.-C. : Pietro Ercole Visconti découvre là, sous une épaisse couche de limon et de décombres, une des grandes réserves de marbre de l'Antiquité. En trois mois, il rassemble quantité de blocs en albâtre, onyx, serpentin, de couleurs jaune, verte ou rouge antique. Pie IX les distribue à toutes les églises du monde et comble de bienfaits l'heureux explorateur, qui devient le baron Visconti.

La chronique de l'archéologie compte donc encore des trouvailles de hasard, des nouvelles à sensation qui attirent les visiteurs les plus illustres, des pillages, des scandales aussi :

Auguste affiche ici une majesté sereine, portant l'univers ciselé sur sa cuirasse : un vieillard barbu, en haut, représente le ciel ; à droite, le quadrige du soleil, accompagné de deux figures féminines – l'Aurore ailée et le génie du Lever du jour –; enfin, sur la partie inférieure, se tient la Terre, suivie d'Apollon et Artémis.

qui n'a entendu parler, dans les années 1860, du procès intenté au marquis Giovanni Campana, ce collectionneur qui, pour avoir extorqué des fonds considérables au mont-de-piété, est condamné aux galères, puis banni de Rome ? Mais l'époque est également aux grands chantiers systématiques, dirigés par des archéologues, Nibby, Canina, De Rossi, dont la recherche est désintéressée et la méthode plus scientifique.

Nibby, Fea : querelles sur le Forum

En 1827, Antonio Nibby est chargé de diriger le chantier du Forum ; il en fait dégager la partie nord – Tabularium, temple de la

Concorde, portique des Douze Dieux –, ainsi que le temple de Vénus et de Rome. Au fil de ses travaux, il parvient à des conclusions qui l'opposent radicalement à Carlo Fea, l'ancien commissaire aux Antiquités, et à la plupart des archéologues.

Au bas du Capitole, près du temple de Saturne, se dressent trois colonnes, dont l'entablement porte le

Clôturé, boisé, peuplé d'oiseaux, le jardin peint de la maison de Livie possède un charme et un mystère unique dans la peinture romaine (en haut).

Le tombeau de Pomponius Hylas fut découvert en 1831 par Pietro Campana. La salle principale du columbarium, ici représentée, est décorée de stucs et de peintures.

fragment d'inscription – ESTITVER – et que les savants tiennent pour les vestiges d'un temple de Jupiter Tonnant. Nibby se fonde sur les découvertes récentes et sur les textes pour rétablir la vérité; il a lu notamment l'*Itinéraire* d'Einsiedeln, ce guide médiéval republié par Mabillon et qui donne l'inscription entière. Plus de doute : ces colonnes sont les vestiges du temple de Vespasien, qui fut construit en l'honneur de l'empereur dès son apothéose, achevé à la mort de son fils Titus, et que les empereurs Caracalla et Antonin restaurèrent – [R]ESTITVER(VNT) – deux siècles plus tard. L'archéologue identifie de même «les trois voûtes en briques placées à une grande hauteur», que l'on découvre sur la gauche du Forum en allant vers le Colisée : cette énorme bâtisse, qu'on prenait au Moyen Age pour le temple de Romulus et qui porte depuis le XVe siècle le nom de «temple de la Paix», ne peut être, selon lui, que la basilique de Maxence et de Constantin, élevée au début du IVe siècle. Nibby restitue du même coup, malgré les protestations de Fea, l'emplacement du vrai temple ou forum de la Paix : un somptueux ensemble

S tendhal se plaît à railler Antonio Nibby, ce polémiste qui change les noms des monuments et remet en question les hypothèses de ses prédécesseurs. Pourtant, sans le citer, il recopie des pages entières de son *Itinéraire romain*.

architectural, où l'empereur Vespasien avait réuni «tout ce qui faisait la curiosité des hommes» – les vases d'or de Judée, des statues, une riche bibliothèque. C'est là que fut scellée au IIIe siècle la fameuse Forma Urbis.

Discours sur la méthode

Ces querelles érudites n'échappent pas à l'ironie des caricaturistes, qui s'en prennent aussi à l'extrême conservatisme des antiquaires. Leurs méthodes d'analyse ont pourtant progressé. Dogmatisme et falsification : telles étaient au XVIe siècle les armes habituelles des savants qui, comme les artistes, cherchaient en Rome un modèle : «Ce que j'ai établi sur le Forum, lançait Marliano, est la vérité vérissime; et si le père Romulus en personne se levait de sa tombe pour me dire qu'il avait construit son forum autrement, je lui répondrais : "O Romulus! Tu es passé sur le fleuve Léthé et à cause de cela, tu as oublié l'emplacement de ta cité, au point de déraisonner!"» Au XIXe siècle, l'esprit philologique l'emporte, la méthode critique appliquée aux textes s'étend aux œuvres d'art, aux monuments que l'on tente de dater, identifier, localiser.

La dernière étape, l'analyse historique des résultats, ne sera franchie qu'à la fin du XIXe siècle. Vers 1850, le chantier du Forum est à peu près

L a basilique de Maxence et de Constantin (ci-contre) était encore appelée temple de la Paix en 1814. Ce dessin, exécuté par l'architecte français P.-M. Gauthier, présente la reconstitution architecturale et monumentale de la partie circulaire latérale du temple.

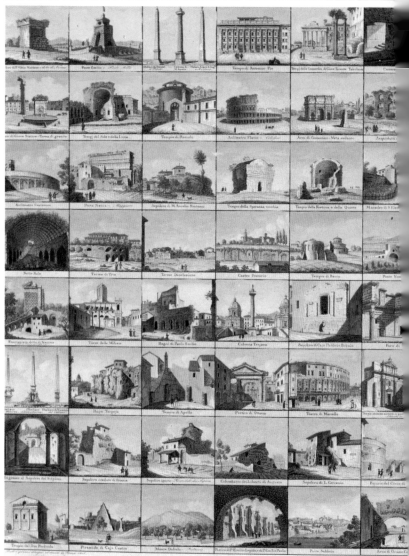

AVANZI DEI PIU COSPICUI EDIFICJ ANTICHI DI ROMA E

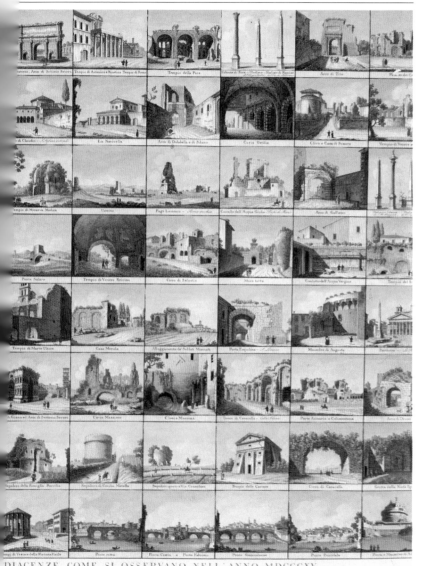

arrêté : on connaît mieux sa structure grâce aux restitutions de Nibby et aux travaux de l'Allemand Mommsen qui, en 1845, détermine l'emplacement du *comitium*, lieu de réunion des assemblées du peuple dans l'Antiquité. A partir de cette époque, d'autres fouilles sont entreprises : au Palatin – où l'archéologue Pietro Rosa met au jour la maison dite de Livie, une partie du temple d'Apollon, considéré à l'époque comme celui de Jupiter Victor, ainsi que de nombreux vestiges des palais impériaux –; et sur la via Appia, confiées à Luigi Canina.

Le tombeau de Caecilia Metella fut érigé à la fin du Ier siècle av. J.-C. Sa forme à tambour, comme celle du mausolée d'Auguste, atteste l'influence des modèles asiatique et hellénistique sur l'architecture funéraire des Romains.

La reine des routes

Construite au IVe siècle par Appius Claudius – qui lui donna son nom –, la via Appia traversait toute la péninsule de Rome jusqu'à Brindes et, dans un cadre naturel de cyprès, pins et oliviers, était bordée de monuments variés : temples, villas, édifices funéraires. Selon une vieille tradition, les Anciens ensevelissaient leurs morts hors du *pomerium*, enceinte sacrée de la cité, dans des endroits fréquentés, «pour indiquer aux passants qu'ils [étaient]

Parmi les monuments les plus dessinés, le tombeau de la via Appia fut longtemps appelé Capo di Bove – Tête de Bœuf – à cause des bucranes qui ornaient sa frise, décoration traditionnelle des monuments funéraires.

eux aussi mortels». Au cinquième mille, la voie bifurquait : là, disait-on, avait eu lieu le combat des Horaces et des Curiaces, et leurs tombes n'étaient autres que ces deux sépulcres en forme de tumulus, situés un peu plus loin, sur le côté droit de la route.

Au Moyen Age, des nobles occupent et fortifient certaines aires de la via Appia : le tombeau de Caecilia Metella, ce mausolée en forme de tour, sert ainsi de donjon à un immense château fort. D'autres vestiges sont employés comme matériau de construction, d'autres encore, laissés à l'abandon, deviennent des repaires de brigands. Les artistes de la Renaissance – Raphaël, Michel-Ange, Pirro Ligorio – opposent en vain à l'incurie de leur siècle un appel à sauver la route. Au XIXᵉ siècle, le tracé de la via Appia se perd parmi les tombeaux en ruine.

P avée de dalles de pierre de basalte et bordée de trottoirs en terre battue, la chaussée de la via Appia était assez large – 4,10 m – pour laisser passer des véhicules dans les deux sens. Tous les 7 ou 10 milles, les voyageurs trouvaient une station de poste, nécessaire pour le changement des chevaux, et une auberge.

Canina, restaurateur de la via Appia

Plusieurs objectifs soutiennent le projet de 1850 : aménager l'ensemble de la voie, restituer son tracé, dégager ses vestiges. Trois ans de travail acharné pour la première partie de la via Appia! Canina rédige minutieusement des commentaires et présente sur de grandes planches gravées l'état actuel de la voie et sa restauration. Il imagine sur ce site admirable la longue suite des tombeaux, les uns monumentaux, ornés de stucs et de fresques, les autres simples autels. Il décrit ainsi près de trente mille tombeaux sur les premiers seize kilomètres de la route, en forme pyramidale, ou ronds comme des tambours, ou encore solennels comme des temples... Les restitutions de Canina seront remises en cause par les fouilles du siècle suivant. Mais ses planches donnent parfaitement l'idée de ce que devaient être autrefois les grandes routes consulaires qui partaient des portes de la capitale, sillonnaient l'Empire, et dont un milliaire d'or, placé par Auguste au centre du Forum, indiquait l'origine symbolique.

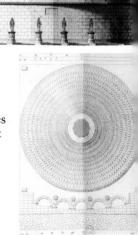

Le renouveau de l'archéologie chrétienne

Les dieux grecs et romains, les héros de l'antique république ne sont plus les seules idoles du

RELIQVIE DEL GRANDE MONVMENTO DENOMINATO CASAL ROTONDO

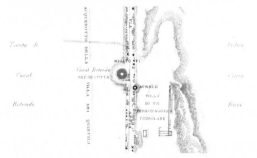

La via Appia fut occupée pendant plusieurs siècles : des tombes archaïques – celles, supposées ou réelles, des Horaces et des Curiaces – aux tombes chrétiennes, la variété des époques et des formes explique l'attrait que la reine des routes a exercé sur le voyageur : édicules en forme de temples, simples autels, tombes à podium, exèdres avec ou sans colonnes, ou encore formes à tambour, comme le Casal Rotonde (à gauche), tombeau de 35 m de diamètre, plus grand que celui de Caecilia Metella qui date de la même époque.

ESPOSIZIONE DELL'INTERA ARCHITETTVRA DEL GRANDE MONVMENTO
DI MESSALA CORVINO VLTIMATO DA M. VALERIO MESSALINO COTTA

XIXᵉ siècle. Le champ des explorations archéologiques s'étend désormais à tout le bassin méditerranéen et à l'Orient, avec Schliemann et Champollion, avec les découvertes des Etrusques et de la civilisation mésopotamienne. Rome aussi redécouvre un nouveau territoire, les catacombes.

La catacombe de saint Sébastien est une des rares qui soient connues au début du XIXᵉ siècle. Depuis Bosio, ces cimetières souterrains ont été quasiment abandonnés ou même oubliés. Un savant, Giuseppe Marchi, le premier, attire l'attention du pape Grégoire XVI sur la nécessité de sauvegarder ces témoignages de l'histoire chrétienne : on le charge en 1841 de leur surveillance et, en 1854, de la fondation du musée chrétien du Latran. Gian Battista De Rossi, disciple de Marchi au Collège romain, entreprend au même moment de dresser la topographie exacte des catacombes.

Les catacombes n'ont jamais été des lieux de culte mais des cimetières souterrains où, par la suite, ont été aménagés des sanctuaires près des tombes des martyrs, attirant de nombreux pèlerins.

Il dispose de sources très nombreuses, les textes littéraires et ecclésiastiques traditionnels, mais aussi de documents du Moyen Age : itinéraires, catalogue des reliques, catalogue des cimetières. A force de recoupements, De Rossi croit pouvoir déterminer l'emplacement de la crypte de saint Sixte et, à l'endroit supposé, découvre une inscription : – NELIVS MARTYR. Or il sait par les textes que le pape Corneille fut enseveli en 251 ap. J.-C.

à proximité de Sixte. Une fouille approfondie lui permet d'accéder à la crypte et même à l'ensemble de la catacombe de Calliste. De Rossi comprend alors pourquoi la crypte est demeurée si longtemps ensevelie : à partir du IVe siècle, après les nombreuses invasions qui ont saccagé les tombes des martyrs, le pape Damase Ier et ses successeurs avaient aménagé, dans les galeries souterraines, des escaliers assez larges pour conduire les pèlerins directement au lieu de leur quête et avaient percé des luminaires dans les sanctuaires pour y laisser entrer l'air et la lumière. Avec le temps, ces constructions tombant en ruine obstruèrent les galeries. Jusqu'alors, les archéologues s'étaient arrêtés aux éboulements; De Rossi creuse, passe outre et découvre le cœur des catacombes.

D ans la catacombe de Calliste, la «crypte des papes» reçut les tombes des papes et des évêques du IIIe siècle, puis fut réaménagée par le pape Damase (366-384).

De Rossi, prince incontesté de la Rome souterraine

Suivant la même méthode, De Rossi met au jour vingt-six d'entre elles, ouvrant aux pèlerins des galeries ensevelies depuis près de dix siècles. Dans les basiliques souterraines, des cérémonies sont à nouveau célébrées, les représentations des hypogées, de leurs fresques et des sépulcres circulent dans le

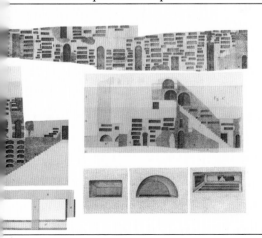

monde entier, l'art sacré redevient un
sujet d'étude et d'admiration. Pie IX
lui-même vient visiter ces lieux
célèbres. La ferveur religieuse
déclenchée par ces découvertes,
mais aussi l'influence ecclésiastique,
surtout celle des Jésuites, auraient pu
faire obstacle au développement
scientifique de l'archéologie
chrétienne. Mais De Rossi, parvenant
à imposer ses résultats aux savants,
est appelé à collaborer, avec les
Allemands Mommsen et Henzen, au
grand corpus d'inscriptions latines;
pendant treize ans, il prépare sa *Rome
souterraine,* ouvrage dans lequel il
étudie les pratiques funèbres des
premiers chrétiens, les graffitis très
nombreux, trouvés sur les parois, et
présente quelques-unes des plus
célèbres catacombes, avec la copie de
leurs fresques et de leurs inscriptions.
A partir de 1863, De Rossi assure la
publication du *Bulletin d'archéologie
chrétienne.* Au terme de sa vie, il
laisse plus de deux cents écrits. Après
lui, les découvertes se multiplient :
on connaît actuellement soixante-
sept catacombes.

L'austère et difficile travail de l'archéologue : fouiller mais aussi interpréter, classer, informer

Tous les savants de l'époque
s'occupent de classer, d'organiser
leur discipline, et les «antiquisants»
bénéficient de ce grand mouvement
de rationalisation. On crée de nouvelles méthodes
pour établir des éditions correctes de textes; on
publie des recueils raisonnés d'objets (urnes,
sarcophages...) et de grands corpus d'inscriptions
grecques et latines présentées selon un ordre
topographique; les musées préparent aussi des

catalogues thématiques (peintures, sarcophages, vases...). La diffusion de l'information s'améliore : bulletins, annales et mémoires présentent et commentent les découvertes récentes, et des associations financent les explorations. L'Académie romaine, fondée en 1810, rassemble des archéologues

Tel était l'état de la «crypte des papes», lorsque De Rossi y accéda : colonnes corinthiennes brisées, sarcophages ouverts, inscriptions dispersées.

et des amateurs, artistes et ecclésiastiques, qui se veulent héritiers de Pomponius Letus, et des humanistes; ils organisent de grands banquets mondains et visitent ensemble les ruines. Leur conservatisme, leurs mœurs ridicules (ils célèbrent les Parilies, qui fêtaient jadis le 21 avril, la naissance de Rome) déchaînent l'ironie du poète Belli.

La fondation des grands instituts archéologiques

L'Institut de correspondance archéologique est créé en 1829 à l'initiative d'archéologues – Fea, Gerhard, Bunsen – et d'artistes – parmi lesquels Thorwaldsen –, avec le soutien du roi Louis de Bavière et de Frédéric de Prusse. L'Institut publie un bulletin et des annales, qui font état des découvertes effectuées dans le monde entier. L'histoire de l'archéologie est pendant près de quarante ans liée à cet institut, dont la vocation internationale cesse à la suite de la guerre de 1870 : il passe dès lors sous le contrôle exclusif des Allemands, devenant l'Institut archéologique germanique, qui étend son action à Athènes, au Caire et à Istanbul. Les Français créent, dès 1873, leur propre institut, l'Ecole

Cette gravure fut imprimée sur le frontispice du deuxième volume de *Monuments inédits*, publication officielle de l'Institut archéologique allemand. Au centre de la zone archéologique la plus célèbre de Rome – le Forum et le Palatin –, entre de nombreux fragments d'antiques, s'élève le temple du savoir archéologique dont les marches mènent à la bibliothèque intérieure. L'archéologie ne se définit-elle pas comme une confrontation des textes et des monuments? Sur le fronton de l'édifice, Rome est représentée, entourée du Tibre et de Tarpeia; entre les colonnes, les têtes des Dioscures, un des groupes statuaires les plus admirés des néo-classiques.

française de Rome. A la veille de l'unité définitive de l'Italie, on ne peut plus nier les progrès de l'archéologie. Si les explorateurs sont parfois des amateurs, si l'esprit antiquaire subsiste, on voit aussi à l'œuvre de vrais savants sur de vrais chantiers.

Désormais, il faut à l'archéologie de nouvelles méthodes, des fouilles en profondeur et une démarche historique. Quelque temps avant sa mort, dans son livre *Roma nell'anno 1838*, Nibby écrivait : «Il ne reste plus rien à la surface du sol. Mais moi qui suis né dans ces ruines et qui y ai vécu, je peux attester que dans toutes les caves de toutes les maisons de cette région et çà et là dans les murs, il existe des témoignages qui prouvent que si on fouillait la terre et si on démolissait les maisons, on découvrirait des renseignements de premier ordre concernant la topographie antique de Rome et l'histoire des arts.»

L e mythe politique de Rome survit au XXe siècle tandis que l'archéologie entre dans la modernité et trouve sa méthode. Après des siècles de topographie, de fouilles dispersées et de découvertes limitées aux époques républicaine et impériale, la Rome des rois se relève des profondeurs de la terre, dévoilant peu à peu les mystérieuses origines de la cité.

CHAPITRE VI
«D'UN MYTHE À L'AUTRE»

«Je n'ai jamais éprouvé une impression aussi extraordinaire qu'à la vue de cet athlète à demi barbare qui semblait s'éveiller d'un songe millénaire après de longs et terribles combats.**»**
R. Lanciani.

Au lendemain de l'unité italienne, d'importants travaux débutent sur l'Esquilin pour la réalisation d'un nouveau quartier : à cette occasion, on découvre de nombreux vestiges de maisons, villas ou tombes. Sur cette photo de 1871, qui représente un chantier ouvert près de l'édifice appelé temple de Minerva Medica, les ouvriers ont dégagé une partie de l'ancien mur de briques.

En 1870, l'Italie achève son unité nationale. La nouvelle monarchie veut une capitale digne de la cité antique et de celle des papes. Dans cette «Troisième Rome», tout est à construire : la population et la nouvelle administration ne peuvent se loger ni dans les palais, ni dans les taudis. Une Rome insoupçonnée surgit sous la pelle et la pioche, mais, comme les fresques qui s'effacent au contact de l'air, de nombreux vestiges disparaissent à jamais sous les constructions modernes : la gare, la via Nazionale, le monument de Victor-Emmanuele.

De vieux quartiers sont rayés de la carte : une grande partie de la cité médiévale (les synagogues du ghetto, des couvents) et tant de palais et de villas célèbres, dont la plus belle peut-être, celle des Ludovisi.

«Ils construisent furieusement, écrit indigné l'historien Gregorovius, les quartiers, les collines sont sens dessus dessous... A chaque heure, je vois tomber un morceau de l'ancienne Rome... La vieille ville sombre...» Pour toute réponse, l'archéologue Rodolfo Lanciani énumère les découvertes faites de 1870 à 1885 à la faveur des travaux : «705 amphores, 2360 lampes, 1824 inscriptions, 77 colonnes de marbre rose, 313 morceaux de colonnes, 157 chapiteaux, 18 sarcophages, 36679 monnaies d'or, d'argent et de bronze.»

De fait, on n'a jamais tant détruit et découvert à la fois depuis Sixte Quint – sans la moindre réflexion d'urbanisme. Sur l'Esquilin, le Quirinal, le Viminal, des maisons romaines avec fresques, mosaïques et sculptures, des nécropoles entières viennent au jour. Du Tibre même, on dégage bas-reliefs, terres cuites, mobilier domestique, statues – un Bacchus de bronze à longue chevelure, un Apollon sans bras, une tête d'Aphrodite grandeur nature... Lors de l'aménagement des rives du fleuve, on exhume des jardins de la Farnésine, ancienne villa du pape Alessandro Farnese, une des plus belles séries de fresques et de stucs. Quelle émotion de voir apparaître, des profondeurs de la terre, le mythe de Phaéton, la légende de Dionysos,

Les artistes de la Renaissance ont brillamment imité l'art des stucs antiques dont les plus célèbres sont ceux de la villa trouvée sous la Farnésine (ici un paysage avec édifices et pont) et ceux de la basilique souterraine de la Porte majeure, découverte en 1917.

Victoires, Silènes et Satyres, scènes de genre à la gloire de l'Amour! Tout y est d'une finesse extrême, surtout les stucs où le détail de chaque geste, vêtement et voile semble une trace de fossile!

L'âge adulte de l'archéologie italienne

Ces découvertes, dont l'histoire ressemble fort à celle des siècles précédents, viennent enrichir le musée des Thermes, installé entre 1908 et 1911 dans les thermes de Dioclétien. Le roi se préoccupe en effet de protéger le patrimoine artistique de son pays : en 1870, il fonde la Surintendance pour les fouilles et pour la conservation des monuments de la province de Rome, puis crée en 1875 l'École italienne d'archéologie, sur le modèle des instituts français et allemand, et encourage la reprise des fouilles dans le

«centre monumental» de Rome : sur le Palatin, ce qu'on appelle le stade de Domitien est dégagé; au Colisée, l'ensemble des souterrains exhumés. Au Forum, on déblaie d'abord l'aire centrale, puis on égalise le niveau du sol de tout le site. «Entre février et avril 1882, écrit Lanciani, furent fouillés, transportés et déchargés plus de 10 200 m³ de terre et mis au jour 2 800 m² de sol antique : on retrouva 26 inscriptions et pas mal de vestiges de monuments... Pour la première fois depuis la chute de l'Empire romain, on pouvait parcourir l'entier tracé de la via Sacra, depuis son début jusqu'au Capitole.»

Les découvertes de Boni ouvrent un grand débat historique sur les origines de la cité antique : les Anciens ont-ils dit la vérité?

En juin 1899, Giacomo Boni dégage, au nord-ouest du Forum, un dallage de marbre noir, presque carré (3 mètres sur 4), entouré d'une marque blanche.

Architecte de formation, Giacomo Boni s'intéresse surtout à la géologie et aux techniques de construction. Avant lui, l'archéologue est un topographe et un homme d'écriture, pour qui l'étude des textes guide la fouille et qui délègue à son assistant le travail sur le terrain. Boni, lui, prend la pelle et la pioche et devient ainsi le pionnier de l'«archéologie militante». Il comprend aussi que les opérations de déblaiement donnent des résultats limités. Selon lui, l'archéologie sert à reconstituer l'histoire d'un site dès ses origines – un but qu'on ne peut atteindre qu'en dégageant les différents niveaux d'un terrain. Il faut donc appliquer la méthode de la stratigraphie, mise au point par les préhistoriens, les seuls à pratiquer les fouilles en profondeur. Les contemporains de Boni ne garderont presque rien de ses leçons. La méthode stratigraphique est appliquée systématiquement sur les chantiers dits classiques depuis les années 1960 seulement.

E n 1875, des fouilles entreprises dans l'arène du Colisée mettent en évidence les étonnantes galeries souterraines de service, nécessaires au déroulement des jeux, et que recouvrait, dans l'Antiquité, une énorme plaque de bois.

Les auteurs anciens évoquaient l'existence d'une Pierre noire, *Lapis Niger*, au Forum; selon certains, elle marquait l'emplacement de la tombe de Romulus, pour d'autres il s'agissait du sépulcre de Faustulus, son père nourricier, ou même d'Hostilius, le troisième roi de Rome.

Espérant atteindre ce mystérieux tombeau, Boni fouille plus profondément : sous le marbre apparaît un ensemble archaïque comprenant une sorte de tombe (en réalité un autel) et une stèle recouverte d'inscriptions. Le texte, écrit en partie en boustrophédon, demeure difficilement compréhensible; les lettres sont collées les unes contre les autres, on parvient à peine à lire quelques mots, et la première phrase seule est entièrement déchiffrée : «Celui qui violera ce lieu sera voué aux dieux infernaux.» La rencontre de cette prescription, sans doute une loi sacrée archaïque du VIᵉ siècle av. J.-C., un règlement rituel et sacrificiel d'un sanctuaire dédié à Vulcain, soulève un vrai débat historique.

En août 1899, on décida de libérer tout l'espace qui s'étendait du temple d'Antonin et Faustine (au centre du document) à la Curie. On dégagea une énorme quantité de terre et on abattit un grand nombre de maisons qui cachaient jusqu'alors la basilique Emilienne, édifice d'époque républicaine.

Allemands contre Italiens : l'archéologie «se fait patriote»!

Depuis plusieurs années, les historiens allemands ont remis en cause la valeur des récits anciens, ceux de Tite-Live surtout, sur les origines de la cité. Contre cette école «hypercritique», la plupart des Italiens, «traditionalistes», affirment leur foi en ces témoignages. La Pierre noire leur donnerait plutôt raison : ne confirme-t-elle pas l'image d'une Rome déjà organisée au VIᵉ siècle? Les érudits s'emportent violemment, surtout les traditionalistes, qui s'érigent en défenseurs de la romanité. La querelle gagne l'opinion publique, les catholiques prennent parti contre les Allemands, contre la culture laïque et rationnelle de l'école hypercritique. Cette controverse rebondit en 1902 et en 1907 quand sont découvertes successivement, près du temple d'Antonin et Faustine et sur le Quirinal, deux nécropoles des IXᵉ et VIIIᵉ siècles av. J.-C., au moment même où Boni met au jour, sur le Palatin, des fonds de cabanes de la même époque. Mais, cette fois, le débat cesse vite, bien que les nouvelles révélations corroborent le témoignage des Anciens sur l'occupation des collines en ces temps très reculés. Pour des raisons qui tiennent à l'insuffisance de leur formation et à l'inadaptation de leurs méthodes, les archéologues ne sont pas prêts à affronter des fouilles si délicates. Boni lui-même renonce à pousser plus loin ses investigations; premier archéologue appliquant la méthode de la fouille stratigraphique inventée par les préhistoriens, il en était pourtant seul capable.

La découverte du Lapis Niger – près de l'arc de Septime Sévère – attira les foules et les hommes d'Etat : le ministre Guido Baccelli vient ici visiter le chantier.

Un «antiquaire» au XXᵉ siècle : Rodolfo Lanciani

A cette époque encore, les archéologues s'occupent principalement de topographie. Comme les Allemands Jordan et Huelsen, Lanciani reprend l'étude du Plan de marbre du IIIᵉ siècle et dresse une nouvelle carte archéologique de la ville à l'échelle de 1/1000. Quarante-six planches d'une immense érudition, sur lesquelles il reporte la chronologie des découvertes depuis le XVᵉ siècle! Lanciani appartient à la vieille école antiquaire, moins soucieuse d'analyser que de décrire et d'assembler, mais il met aussi au service de cette carte une extraordinaire connaissance personnelle de la ville : on sent bien qu'il a vu Rome pierre à pierre, couru tous les chantiers à une époque où la ville, éventrée, remuée en tous sens, délivre une nouvelle fois son âme.

Cet ardent antiquaire, qui rapporte inlassablement les découvertes de son temps, se plaît à explorer, comme on le faisait au XVIᵉ siècle, les lieux les moins connus de la campagne romaine. Sur ses pas il entraîne des disciples, Thomas Ashby, par exemple, grand topographe, excellent connaisseur de Rome et admirateur de la via Appia, qu'il parcourt plusieurs fois à pied et à bicyclette.

De ces longues explorations, les archéologues ne rapportent plus des dessins mais des photographies. Ils comprennent à peine, à cette époque, l'importance de cet art récent, dont Boni avait fait usage au Forum du haut d'un ballon aérostatique, et que l'archéologue Parker avait le premier utilisé à des fins scientifiques dans les années 1870.

Le culte de la romanité

En 1911, une grande exposition, préparée par Lanciani, doit célébrer les cinquante ans de l'unité italienne : les trouvailles les plus importantes seront présentées – la statue de Prima Porta la première – mais aussi des plans et des maquettes. A la veille de l'expédition de Libye, il importe à la monarchie de démontrer que la civilisation romaine reste vivante, comme le rappellent les routes, les ponts, les monuments toujours inscrits dans le paysage des

Né à Londres en 1806, amateur érudit d'histoire de l'architecture, J. Parker entreprend dès 1866 de faire photographier systématiquement les principaux monuments antiques.

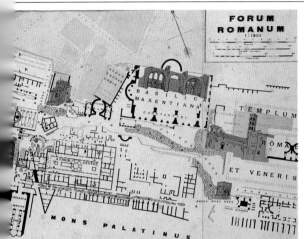

L'ouvrage majeur de R. Lanciani (1845-1929), *la Forma urbis*, représente la Rome antique, l'état de la cité médiévale et moderne ainsi que celui de la ville en 1892. La carte du Forum reste encore tout à fait valable, à quelques détails près, malgré les découvertes récentes qui ont mis au jour, entre l'atrium Vestae et l'arc de Titus, des maisons républicaines ainsi que des traces d'époque archaïque.

anciennes provinces. Le mythe de Rome, qui a servi l'ambition politique depuis le Moyen Age, survit ainsi dans l'Italie moderne où l'on célèbre ensemble l'unité et la romanité, modèle indestructible : idée que le fascisme portera à son comble.

«D'ici cinq ans, déclare Mussolini le 31 décembre 1925, Rome doit apparaître dans toute sa splendeur : immense, ordonnée, puissante, comme elle le fut au temps du premier empire, celui d'Auguste.» L'impulsion donnée aux études classiques et à l'histoire romaine, le symbole du régime – l'aigle –, l'insistance à faire revivre le latin, langue «parlable», tout converge vers l'exaltation de la romanité. Il n'est pas étonnant que les fascistes aient accordé à l'archéologie un rôle essentiel dans leur propagande. Giglioli, l'archéologue du régime, évoque «le

développement de la recherche archéologique relativement aux fins historiques et nationales du fascisme» et assigne aux historiens la mission de démontrer la continuité de l'histoire de Rome, la permanence de la nation romaine et de sa grandeur depuis l'origine.

Avec le concours d'un bon nombre d'archéologues, le duce élabore un grand programme de fouilles. Dans la masse des projets, deux groupes illustrent au mieux l'utilisation politique de l'histoire, une idée chère à Mussolini : d'une part la restauration de l'urbanisme augustéen; d'autre part les fouilles des forums impériaux et d'Ostie, liées à la construction de la *via del Mare*, la route de la Mer, symbole et axe de l'extension de Rome vers la Méditerranée.

Comme aux siècles précédents, les programmes archéologiques sont indissociables de la rénovation de la ville. Mussolini fait détruire

L'évocation d'Auguste par Mussolini n'est pas anodine : le nouveau régime se pose en champion de la concorde, de la paix et d'un retour définitif à l'ordre.

Cette pioche symbolise parfaitement le massacre de la ville par les fascistes. «Un ordre de Benito Mussolini, et tout ce qui est considéré comme indigne disparaît de la carte», commente une revue de l'époque. Ainsi, tout le quartier situé entre la piazza Venezia et le Colisée fut rasé.

L'édifice de l'Ara pacis se compose d'une enceinte rectangulaire reposant sur un podium auquel on accède par un escalier, et de l'autel proprement dit. Les personnalités importantes de la famille impériale sont représentées sur la frise sud dont le document (à gauche) est un détail : à droite Agrippa, le gendre d'Auguste.

et construire à la fois. Et voilà la Rome des petites places et des rues étroites à nouveau éventrée pour faire surgir «cette civilisation enfouie et non morte».

Auguste a deux mille ans : la célébration de la Rome impériale par la Rome fasciste

Après le dégagement du forum augustéen par Corrado Ricci, effectué sans mesures ni relevés, avec la plus grande désinvolture, la célébration d'Auguste culmina en 1937-1938, à l'occasion de son bimillénaire. Son mausolée fut dégagé, restauré et isolé par l'aménagement de la place de l'Empereur Auguste; l'autel de la Paix, l'*Ara pacis*, entièrement reconstitué, au prix de quelques prouesses techniques. Plus que tout autre, enfin, la Mostra augustea della romanità, en 1937, fut une exposition à grand spectacle.

Le matériel de l'exposition de 1911 avait été transporté au musée de l'Empire romain. Ce musée fut inauguré en 1929, alors qu'on fêtait les deux mille ans des deux grands poètes latins Horace et Virgile.

E rigé en 9 av. J.C., l'Ara pacis, l'autel de la Paix, est un des symboles les plus importants de la propagande impériale augustéenne, qui exalte la domination universelle de Rome, son origine divine, et la paix – la *Pax romana*. Différents fragments de l'édifice avaient été retrouvés au XVIᵉ, puis au XIXᵉ siècle, mais c'est en 1937-1938 que les fouilles définitives furent accomplies. A l'occasion du bimillénaire d'Auguste, l'autel fut remonté près du mausolée d'Auguste, le long du Tibre, et protégé par une cage de verre et de béton, sur les parois de laquelle furent gravés les termes du testament de l'empereur – les *Res gestae*. L'inauguration eut lieu le 23 septembre 1938.

La grandeur retrouvée

L a Mostra augustea della romanità s'ouvrit le 23 septembre 1937 au palais des Expositions, via Nazionale, présentant photographies et maquettes : des modèles réduits avaient été construits pour les amphithéâtres, les ponts, les thermes, et un plan de la cité élaboré d'après les plans de la *Forma Urbis* de Lanciani. Le matériel de l'exposition devait être repris lors de l'Exposition universelle de 1942, destinée à célébrer la conquête de l'Ethiopie et les vingt ans du régime. Dès 1937, un quartier entier fut mis en chantier dans le sud de Rome : l'EUR, Exposition universelle de Rome. Mais les travaux, interrompus par la guerre et la défaite du fascisme, ne seront achevés que dans les années 50 : en 1955 s'ouvre le musée de la Civilisation romaine, qui abrite aujourd'hui le matériel des expositions d'avant-guerre.

Les organisateurs de 1937 étaient bien plus ambitieux : ils voulaient la plus grande exposition du siècle. Ils firent exécuter des cartes, des dessins, des photos, des moulages et surtout plus de trois cents maquettes des monuments célèbres de tout l'Empire; et, dans une salle spéciale, un plan de Rome en relief célébrait la magnificence de la cité au début du IVᵉ siècle. Tous les pays contribuèrent à cette exposition, créant un consensus autour de Mussolini. Scientifiquement, cette manifestation était aussi un succès : pour la première fois se trouvaient rassemblés, sous toutes les formes, des témoignages dispersés dans le monde entier. Mais, dans son discours d'inauguration, Giglioli ne cachait pas le rôle politique de l'entreprise : la romanité était proclamée mère de tous les peuples, le duce acclamé comme son défenseur, garant des gloires futures.

La via Severiana (à droite) traverse la nécropole d'Isola sacra, près d'Ostie. Large de 10,50 m, elle comporte une partie réservée aux véhicules et une autre aux piétons, cavaliers et processions funèbres.

Le bilan de l'archéologie fasciste

Mussolini voulait rendre à Rome son ouverture sur la mer et donc relier la ville au littoral par une route prestigieuse au long de laquelle il fit aménager les forums impériaux, installer cinq cartes indiquant les progrès des conquêtes romaines des origines à l'empire fasciste, enfin fouiller le site d'Ostie.

L'ancien port de Rome avait déjà été exploité au XVIIIe siècle. Carlo Fea y expédia une cinquantaine de prisonniers pour effectuer les gros travaux de déblaiement, mais il dut y renoncer bientôt, la région étant trop marécageuse. Les travaux reprirent plus longuement sous Pie IX et mirent au jour des statues et d'importants groupes picturaux. En 1910, l'archéologue Vaglieri découvrit là une statue ailée de Minerve Victrix, «Victorieuse» – de bon augure,

Avec la place des Corporations, le théâtre d'Ostie d'une capacité de 3000 places, formait un bel ensemble architectural. L'aménagement du théâtre est dû aux travaux des années 30. Au fond de l'orchestre et de la scène semi-circulaire, à l'emplacement de l'ancien portique à arcades, ont été installés les quelques éléments architectoniques de marbre, dont ces trois masques (à gauche).

dit-on à l'époque, pour le nouvel Etat! Mais la ville d'Ostie ne fut vraiment exhumée que de 1938 à 1942. A ceci près que Guido Calza massacra le chantier. Pressé par les délais imposés en vue de l'Exposition universelle, il ne dégagea que le niveau du IIᵉ siècle : les couches les plus récentes disparurent sans relevés, les plus anciennes restaient enfouies. L'exploration d'Ostie, pourtant, fit date dans l'histoire de l'architecture romaine en révélant pour la première fois les fameux entrepôts à blé, *horrea*, et surtout les ancêtres de nos immeubles, les *insulae*. Enfin, la fouille de la grande nécropole d'Isola sacra et, surtout, l'exhumation des *mithrea*, ces petites chapelles où se célébrait le culte du dieu Mithra, jetaient une lumière nouvelle sur la vie religieuse aux IIᵉ et IIIᵉ siècles de notre ère, et sur la popularité des cultes orientaux, rivaux du christianisme.

A nimal sacré du dieu Mars, la Louve a sauvé les fondateurs de Rome, Romulus et Remus, fils du dieu Mars et de la vestale Rhea Silvia. Animal-totem des Romains, elle s'oppose au taureau des peuples italiques.

Aurait-on enfin découvert la trace de Romulus?

Comme les époques précédentes, le XXᵉ siècle a livré et continue de livrer nombre de chefs-d'œuvre. Le sol romain serait-il inépuisable? Il reste tant et tant à fouiller qu'on ne peut vraiment estimer sa richesse. Le Champ de Mars, par exemple, reste mal connu : les archéologues doivent se contenter d'hypothèses élaborées à partir des textes et de la Forma Urbis du IIIᵉ siècle. Là se cachent le cirque de Flaminius, les trois temples de Jupiter, Junon et Hercule, le théâtre de Balbus... On sait très précisément que l'on trouverait, par exemple, sous l'église Santa-Maria-in-Campitelli, les ruines du temple de Jupiter. Mais l'empilement des siècles a été continu dans ce quartier où seul le portique d'Octavie rappelle un peu la magnificence antique; il faudrait fouiller très profondément – cela sera-t-il jamais possible?

Jusqu'au XXᵉ siècle, les découvertes se rapportaient à l'époque impériale ou à la fin de la République. Désormais, la Rome archaïque, la Rome des Rois, se relève peu à peu, comme si l'archéologie se rapprochait de l'origine à mesure qu'elle s'en éloigne dans le temps. Les traces de vie dès le VIIIe siècle, découvertes par Boni sur les collines, ce temple archaïque mis au jour vers 1930 sous Sant'Omobono, attestant la présence des rois étrusques au VIe siècle av. J.-C., semblent confirmer les récits des historiens antiques. Et le Palatin pourrait bien avoir livré un de ses derniers secrets quand l'archéologue Andrea Carandini, un jour d'octobre 1988, rencontrait à la limite du Forum les traces d'un rempart archaïque, peut-être celui qui, au VIIIe siècle avant notre ère, aurait été élevé pour définir l'espace sacré de la cité.

L a statue de bronze de la Louve, datée du Ve siècle, ne comportait pas les deux jumeaux, qui furent ajoutés par un sculpteur du XVe siècle trop attentif au mythe. On ignore où elle se trouvait dans l'Antiquité. Dante put la voir au palais du Latran, d'où, en 1471, elle fut transportée au Capitole.

TÉMOIGNAGES
ET DOCUMENTS

La ville menacée

Le thème de la destruction de Rome, les lamentations des poètes et des savants sur les ruines accompagnent toute l'histoire de Rome, depuis l'Antiquité jusqu'à nos jours. Dans la Ville éternelle, l'urgence des mesures de protection, la hâte à défendre la mémoire des choses est au cœur des préoccupations.

Les Barbares ne furent pas les seuls destructeurs de la ville. L'indifférence, l'incurie des Romains, mais aussi les pillages quotidiens des habitants et des dirigeants contribuèrent tout autant à sa dégradation. De continuelles requêtes furent adressées par les empereurs aux magistrats de Rome pour qu'ils protègent les édifices publics, mais le nombre des ordonnances prouve qu'elles restaient le plus souvent sans effet.

LES EMPEREURS LÉON ET MAJORIEN, AUGUSTES, À ÉMILIEN, PRÉFET DE LA VILLE DE ROME

Dans Notre conduite de l'État, Nous voulons voir corriger le fait, depuis longtemps objet de Notre exécration, qu'on soit admis à altérer l'aspect d'une Ville vénérable. Car il est manifeste en effet que les édifices publics, en lesquels consistait toute la parure de la cité de Rome, sont un peu partout détruits sur la punissable suggestion des Bureaux de la Ville. Sous le fallacieux prétexte d'un besoin pressant de pierres de taille pour

V estiges sur le Palatin, une des sept collines de Rome qui fut le lieu de résidence de nombreux citoyens influents sous la République et le centre de la vie politique et sociale sous l'Empire.

D'étail d'un plan de la Rome antique.

d'une pénalité de cinquante livres d'or ; quant aux employés et comptables qui obéiraient à ses ordres et n'essaieraient même pas de lui résister de leur propre initiative, ils s'exposent au supplice de la bastonnade et on devra aussi les amputer des mains avec lesquelles il profanent les monuments des aïeux alors qu'il faut les préserver.

Quant aux locaux que jusqu'à présent des solliciteurs ont revendiqués pour eux-mêmes, friponnerie qu'il faut annuler, Nous ordonnons qu'il n'en soit rien emporté : car ils n'en reviennent pas moins à la propriété publique, et Nous voulons qu'on les répare en rétablissant les éléments enlevés, la licence de les réclamer étant supprimée à l'avenir.

S'il faut vraiment, pour des considérations impérieuses, déposer quelque élément, soit pour la construction d'un autre ouvrage public, soit pour un besoin désespéré de réparation, Nous prescrivons d'en saisir, renseignements convenables à l'appui, l'Ordre très considérable du vénérable Sénat, et lorsque après délibération il aura estimé qu'il faut le faire, d'en référer à l'appréciation de Notre Bonté, afin que ce qui Nous paraîtrait irréparable, Nous ordonnions de le transférer pour orner du moins un autre ouvrage public, ô Emilien, très cher et très affectueux Père.

C'est pourquoi Votre illustre Grandeur voudra bien publier, par affichage d'édits, cette très salutaire constitution, afin que soient observées avec la soumission et la dévotion convenables ces décisions prises avec prévoyance dans l'intérêt de la Ville éternelle.

Fait à Ravenne,
le 11 juillet 458.

un ouvrage public, on met en pièces l'admirable structure des édifices antiques, et pour restaurer tel ou tel petit bâtiment on en détruit de grands. Il en résulte déjà l'occasion, pour le premier venu qui construit un édifice privé, et par la grâce des magistrats en poste dans la Ville, de ne pas hésiter lui non plus à prélever sur les locaux publics les matériaux nécessaires, et à les transporter ailleurs, alors qu'ils appartiennent à la splendeur des villes et qu'on doit donc les préserver par sentiment civique même en cas de réparation.

C'est pourquoi Nous arrêtons, par cette loi générale, que nul ne doit détruire ou endommager l'ensemble des édifices – autrement dit ce que les aïeux ont fondé sous forme de temples et autres monuments – qu'on a élevés à l'usage ou pour l'agrément du public ; à tel point qu'un magistrat qui déciderait de le faire doit être frappé

Disparition du patrimoine

Au cours du Moyen Age, une très grande quantité de marbre fut fondue et transformée dans des fours à chaux spéciaux, puis réutilisée comme matériau de construction. Au XIXᵉ siècle, les archéologues en découvrirent quelques modèles.

En 1869, Rosa découvrit une de ces fosses dans le palais de Tibère, au Palatin. Elle était remplie jusqu'aux bords de belles œuvres d'art, les unes calcinées, les autres encore intactes ; et parmi ces dernières, le buste voilé de Claude, aujourd'hui au musée des Thermes, une tête de Néron, trois cariatides de noir antique, la délicieuse statuette d'éphèbe, en basalte noir, qu'a reproduite Hauser, une tête d'Harpocratês, et d'autres fragments moins importants.

En février 1883, lorsqu'on excavait au côté sud l'atrium des Vestales, on découvrit un entassement de marbre, environ de quatorze pieds de long sur neuf de large et sept de hauteur. Il se composait uniquement des statues des Grandes Vestales, les unes intactes, les autres en morceaux. Statues et fragments étaient soigneusement agencés pour laisser aussi peu de vides que possible ; on avait même bourré de copeaux les interstices que les courbes de la sculpture produisaient nécessairement. Il y avait là huit statues presque parfaites ; et parmi les fragments qui s'y trouvaient mêlés, ce fut une bien heureuse surprise que de découvrir la partie inférieure de la charmante Vesta assise ; le tabouret de pieds n'y manquait même pas, mais, hélas ! à peine reconnaissable après tant d'années passées dans le coin le plus humide de l'atrium. Ce fut le 9 février, à six heures et demie du matin, qu'eut lieu cette riche découverte ; outre les

Atelier de restauration... et de destruction de statues antiques au XVIIIᵉ siècle.

ouvriers, quatre personnes seulement y assistaient : le Prince impérial de Prusse, qui fut plus tard l'Empereur Frédéric III, le docteur Heuzen, un de mes collègues, et moi enfin. Il me souvient bien du Prince, alors dans toute la vigueur de sa belle santé ; comme il aidait les ouvriers à soulever les masses de marbre, et à mettre les statues sur pied le long du mur de l'atrium ! Ce temps-là était l'âge d'or des fouilles romaines, qu'on se rappelle comme un songe évanoui. Or donc, toutes ces belles statues avaient été empilées comme bûches par quelques pirates des marbres ; et ils avaient soigneusement rempli les vides, en gens soucieux de ne point perdre de place. Quel heureux incident sauva ce trésor de sculpture ? Il est malaisé de le deviner. Ce qui du moins est trop certain, c'est qu'une grande quantité de marbres arrachés à la demeure des Vestales doit avoir péri par le feu ; témoin les deux fours et les deux dépôts de chaux et de charbon mis à découvert au cours des mêmes recherches.

Lanciani,
la Destruction de Rome.

Coup d'œil et discours du Pogge, assis sur la colline du Capitole, 1430

La contemplation des ruines a suscité plus d'une vocation. Penchés sur les malheurs de la ville, Pogge Bracciolini (1380-1459) comprit sa passion pour l'antiquité gréco-romaine, Gibbon (1737-1794) décida d'écrire l'histoire de la chute de l'Empire romain, Renan (1823-1892) celle des origines du christianisme...

Vers la fin du règne d'Eugène IV, le savant Pogge et un de ses amis, serviteurs du pape l'un et l'autre, montèrent sur la colline du Capitole ; ils se reposèrent parmi les débris des colonnes et des temples, et, de cette hauteur, ils contemplèrent l'immense tableau de destruction qui s'offrait à leurs yeux. Le lieu de la scène et ce spectacle leur ouvraient un vaste champ de moralités sur les vicissitudes de la fortune, qui n'épargne ni l'homme ni ses ouvrages les plus orgueilleux, qui précipite dans le même tombeau les empires et les cités ; et ils se réunirent dans cette opinion que, comparativement à sa grandeur passée, Rome était de toutes les villes du monde celle dont la chute offrait l'aspect le plus imposant et le plus déplorable. « L'imagination de Virgile, dit le Pogge à son ami, a décrit Rome dans son premier état, et telle qu'elle pouvait être à l'époque où Évandre accueillit le réfugié troyen. La roche Tarpéienne que voilà ne présentait alors qu'un hallier sauvage et solitaire : au temps du poète, sa cime était

couronnée d'un temple et de ses toits dorés. Le temple n'est plus ; on a pillé l'or qui le décorait ; la roue de la fortune a achevé sa révolution, les épines et les ronces défigurent de nouveau ce terrain sacré. La colline du Capitole, où nous sommes assis, était jadis la tête de l'Empire romain, la citadelle du monde et la terreur des rois, honorée par les traces de tant de triomphateurs, enrichie des dépouilles et des tributs d'un si grand nombre de nations : ce spectacle qui attirait les regards du monde, combien il est déchu ! combien il s'est changé ! combien il s'est effacé ! Des vignes embarrassent le chemin des vainqueurs ; la fange souille l'emplacement qu'occupaient les bancs des sénateurs. Jetez les yeux sur le mont Palatin et parmi ses énormes et uniformes débris ; cherchez le théâtre de marbre, les obélisques, les statues colossales, les portiques du palais de Néron ; examinez les autres collines de

G ian Francesco Poggio Bracciolini, dit le Pogge.

la cité : partout vous apercevrez des espaces vides, coupés seulement par des ruines et des jardins. Le Forum, où le peuple romain faisait ses lois et nommait ses magistrats, contient aujourd'hui des enclos destinés à la culture des légumes, ou des espaces que parcourent les buffles et les pourceaux. Tant d'édifices publics et particuliers, qui, par la solidité de leur construction, semblaient braver tous les âges, gisent renversés, dépouillés, épars dans la poussière, comme les membres d'un robuste géant ; et ceux de ces ouvrages imposants qui ont survécu aux outrages du temps et de la fortune rendent plus frappante la destruction du reste. »

Description qu'il fait des ruines

Ces ruines sont décrites fort en détail par le Pogge, l'un des premiers qui se soient élevés des monuments de la superstition religieuse à ceux de la superstition classique. 1° Parmi les ouvrages du temps de la république, il distinguait encore un pont, un arceau, un sépulcre, la pyramide de Cestius, et dans la partie du Capitole occupée par les officiers de la gabelle, une double rangée de voûtes qui portaient le nom de Catulus et attestaient sa munificence. 2° Il indique onze temples plus ou moins conservés ; depuis le Panthéon, encore entier, jusqu'aux trois arceaux et à la colonne de marbre, reste du temple de la Paix que Vespasien fit élever après les guerres civiles et son triomphe sur les Juifs. 3° Il fixe un peu légèrement à sept le nombre des anciens *thermes* ou bains publics, tous tellement dégradés qu'aucun ne laissait plus entrevoir l'usage ni la distribution de leurs diverses parties ; mais ceux de Dioclétien et d'Antonin Caracalla étaient encore appelés du nom de leurs fondateurs ; ils étonnaient les curieux qui observaient la solidité et l'étendue

LVCI · SEPTIMII · SEVERI · CAESARIS
IN · VIA · APPIA · QVANTVM · QVIDAM · CONIECTVRA
POTVERVNT · SEPVLCRVM · SEPTIZODII · TITVLO · TEMPLORVM
INIVRIA · PAENE · DESTRVCTVM · CETERIS · PARTIB · VEL
CORRVPTIS · VEL · CONLABIIS · NEGLIGENTIA · SVPERIORIS
AEVI · MOTI · QVOD · SVPEREST · MEMORIAM · VETERVM
PROPAGANTES · EFFINXIMVS ·

Le Septizodium fut construit au début du
IIIᵉ siècle par l'empereur Septime Sévère.
Des parties importantes de cet édifice existaient
toujours au XVIᵉ siècle. Le pape Sixte Quint le fit
complètement démolir.

de ces édifices, la variété des marbres, la
grosseur et la multitude des colonnes,
et comparaient les travaux et la dépense
qu'avaient exigés de pareils édifices
avec leur utilité et leur importance.
Aujourd'hui même il reste quelques
vestiges des *thermes* de Constantin,
d'Alexandre, de Domitien ou plutôt de
Titus. 4° Les arcs de triomphe de
Titus, de Sévère et de Constantin, se
trouvaient en entier, et le temps n'en
avait point effacé les inscriptions ; un
fragment d'un autre tombant en ruine
était honoré du nom de Trajan, et on
en voyait sur la voie Flaminienne deux
encore sur pied, consacrés à la moins
noble mémoire de Faustine et de
Gallien. 5° Le Pogge, après nous avoir
décrit les merveilles du Colisée, aurait
pu négliger un petit amphithéâtre de
brique, qui vraisemblablement servait
aux gardes prétoriennes ; des édifices
publics et particuliers occupaient déjà
en grande partie l'emplacement des
théâtres de Marcellus et de Pompée, et
on ne distinguait plus que la position et
la forme du cirque agonal et du grand
cirque. 6° Les colonnes de Trajan et
d'Antonin étaient debout, mais les
obélisques égyptiens étaient brisés ou
ensevelis sous la terre. Ce peuple de
dieux et de héros créés par le ciseau des
statuaires avait disparu ; il ne restait
qu'une statue équestre de bronze, et
cinq figures en marbre, dont les plus
remarquables étaient deux chevaux de
Phidias et de Praxitèle. 7° Les
mausolées ou sépulcres d'Auguste et
d'Adrien ne pouvaient avoir
entièrement disparu, mais le premier
n'offrait plus qu'un monceau de terre ;
celui d'Adrien, appelé château Saint-
Ange, avait pris le nom et l'extérieur
d'une citadelle moderne. Si l'on y
ajoute quelques colonnes éparses et
dont on ne connaissait plus la
destination, telles étaient les ruines de
l'ancienne ville ; car les murs, formant
une circonférence de dix milles,
fortifiés de trois cent soixante-dix-neuf
tours et s'ouvrant par treize portes,
laissaient voir les marques d'une
construction plus récente.

Gibbon,
*Histoire du déclin et de
la chute de l'Empire romain.*

Défense de la via Appia

Ranuccio Bianchi Bandinelli (1900-1975) l'un des rares archéologues à refuser toute compromission avec les autorités fascistes, a toujours défendu l'intégrité du patrimoine artistique. Ce grand étruscologue, historien de l'art et théoricien, directeur général des Antiquités et des Beaux-Arts de 1945 à 1947, prit dès le lendemain de la guerre la tête d'un mouvement de protestation contre la spéculation immobilière et pour la protection des vestiges, réclamant la création sur la via Appia, par exemple, de grands parcs archéologiques.

Rares sont les lieux, non seulement en Italie mais au monde, qui avaient autant de pouvoir évocateur et suggestif que la voie Appia à Rome, hors la porte Saint-Sebastien. Dans ces monuments se lisent certaines pages remarquables de l'histoire antique, de la fin de la république romaine à la fin de l'empire, aux débuts du christianisme et aux légendes qui l'accompagnent (les catacombes, la chapelle « Quo Vadis » se trouvent sur cette voie). La vision que l'on a des murs et de la porte Saint-Sebastien est encore la même que celle que, pendant deux millénaires, les natifs du Mezzogiorno ont eue de la ville de Rome, centre du monde occidental. Désormais tout cela ne va pas tarder à être détruit et submergé par une marée de pavillons, sacrifié tout simplement à une frénésie de spéculation.

Il y a des lois qui protègent le patrimoine artistique et historique ainsi que le paysage. Mais les lois sont inertes et impuissantes si fait défaut la volonté sérieuse de les faire respecter. Dans ce cas comme dans cent autres semblables, la faute n'est pas imputable à l'inertie bureaucratique : elle se situe beaucoup plus haut, chez les responsables gouvernementaux, et beaucoup plus en profondeur, dans la classe dirigeante.

Il est symptomatique, à vrai dire, que lorsque l'alarme a été donnée à propos de la destruction de la voie Appia, aucun organe de la grande presse bourgeoise ne l'ait reprise à son compte. Personne ne s'alerte non plus dans cent cas semblables. Tout notre incomparable patrimoine d'art et de civilisation menace ruine : ce sont, dans les villas du Veneto, des salles couvertes de fresques de Tiepolo que l'on transforme en étables ; ce sont les villes italiennes, que dans le monde entier on célèbre comme des chefs-d'œuvre de beauté et comme témoignages d'une civilisation populaire de premier rang, qui se métamorphosent rapidement en quelque chose d'hybrique, de grossier, de bruyant et de colonial, comme certaines villes d'Amérique du Sud de l'intérieur (et déjà les touristes s'empressent de visiter les monuments obligés pour fuir au plus vite des villes si peu accueillantes pour les vacanciers) ; ce sont des vestiges et des témoignages de nos vieilles cités étrusques, peut-être irremplaçables pour la science, qui disparaissent sous le soc des tracteurs de l'Ente Maremma, offerts en holocauste à une « réforme » agraire démagogique et de pure escroquerie.

Mais celui qui voudrait établir la liste des attentats qui se commettent avec succès contre le patrimoine artistique italien aurait de quoi remplir un volume. Et il serait inutile de lui opposer un autre volume d'« œuvres de sauvetage » accomplies par les services de la Surintendance artistique et par d'autres instituts chargés de la protection du patrimoine : nous savons bien que ces services font ce qu'ils peuvent et dans des conditions de travail parfois presque héroïques. Et chaque surintendant aurait de nombreuses histoires à raconter sur les pressions exercées sur lui par les autorités, ecclésiastiques notamment, pour éviter que les lois de protection du patrimoine soient appliquées, et sur la manière dont ses résistances rencontrent toujours moins de soutien de la part des autorités centrales.

Le fait est que la sauvegarde du patrimoine artistique et historique est une de ces bannières que la bourgeoisie a portées bien haut du temps de son ascension et qu'elle a aujourd'hui laissées tomber. Une de ces bannières qu'il revient aux éléments d'avant-garde de la classe ouvrière, classe dirigeante en ascension, de reprendre et de brandir. Eux seuls peuvent aujourd'hui combattre efficacement y compris pour cette bannière ; et ils seront alors sûrs de trouver à leurs côtés de nombreux représentants, et les meilleurs, des classes moyennes, qui souffrent de ce qui se passe et n'ont ni le courage ni la force de s'y opposer.

Les lois et les instituts créés dans le passé sont aujourd'hui inopérants face aux attaques des plus rapaces spéculateurs, qui montent à l'assaut, assurés des protections et complicités les plus haut placées. On ne connaît d'autre loi que celle du « fric », de l'argent ; démagogie et hypocrisie cléricale font le reste. Que peut-on attendre d'autre de cette classe dirigeante qui ne pense plus à diriger mais seulement à empocher ? A un directeur général des Beaux-Arts qui insistait pour que la répartition des quelques rares fonctionnaires constituant l'état-major de nos services de protection du patrimoine soit économiquement rationalisée, et qui cherchait à démontrer que l'Italie risquait au bout de quelques années de ne plus avoir personne à qui confier son patrimoine

artistique parce que les meilleurs éléments désertent une carrière difficile, émaillée de responsabilités, mal rétribuée et non confortée par le soutien moral des classes dirigeantes, un ministre de l'Éducation nationale d'un des gouvernements De Gasperi trouva à répondre cyniquement qu'aucun ministre ne s'en occuperait jamais sérieusement parce qu'ils étaient si peu nombreux qu'« ils ne représentaient pas une force électorale » ! Pour ce ministre, de toute évidence, le patrimoine artistique pouvait tranquillement tomber en ruine. Même à cette occasion l'homme apparaissait comme un représentant typique des groupes dirigeants de son parti, de par son manque de culture et l'absence chez lui de lien vivant avec la réalité italienne, lien qui nous fait vraiment aimer notre pays.

Pourtant je ne voudrais pas créer d'équivoque en portant certains lecteurs à croire que c'est le culte fétichiste du vieux, de l'antique, du poussiéreux qui me pousse ici. Il n'en est rien : les exigences de la vie contemporaine et surtout le besoin qu'ont les larges masses populaires italiennes de voir leurs conditions de vie s'améliorer imposent, en particulier dans les centres habités, des transformations qui sont nécessairement à prendre en compte (mais ce ne sont pas vraiment elles qui changent le visage de la voie Appia, car si les habitants des bicoques seront à coup sûr chassés, ils n'occuperont évidemment pas les pavillons qui s'y construisent). Les villes changent d'aspect nécessairement, car elles sont des organismes vivants ; vouloir arrêter cette transformation, ce serait comme vouloir stopper la croissance d'un être humain et l'empêcher de se transformer, du bel enfant qu'il était, en un vilain gaillard, comme cela s'est produit pour nous tous. Ce qui compte, c'est créer une conscience de la nécessité de faire du neuf en respectant intelligemment l'ancien ; car chaque maison ancienne que l'on détruit est une porte ouverte sur l'histoire qui se referme pour toujours ; et avant de prendre la décision de la fermer, il faut y réfléchir. Ce qui compte, c'est écarter le critère de la spéculation, qui est aujourd'hui le seul qui vaille et qui a déjà détruit quelques-unes de nos villes les plus renommées pour leur beauté.

La beauté des villes italiennes n'est pas le fait d'un hasard pittoresque, mais (presque toujours) d'une volonté précise, de directives suivies par des générations de gouvernements communaux, expression directe du peuple. L'exemple peut-être le plus typique de cette volonté et de cette continuité, on peut le trouver dans les documents de la commune médiévale de Sienne où figurent, de la moitié du XIIIᵉ siècle à la moitié du siècle suivant, toute une série de statuts et de délibérations prescrivant des normes de construction pour l'embellissement de la ville et des facilités pour ceux qui contribuent à l'améliorer ; et la ville de Sienne est aujourd'hui encore un des plus précieux monuments urbanistiques du passé, un objet d'admiration et d'étude pour le monde entier. A Vérone, dans le statut de 1276, il est dit qu'aucun magistrat ni office ne peut commencer à construire sans le consentement du Conseil du peuple et l'avis des « officiers de l'ornementation ». De ce patrimoine de civilisation le peuple italien a encore conscience ; mais il faut que cette conscience, pour devenir active, soit précisée, popularisée et soutenue.

Le problème n'est pas facile ; il est même souvent terriblement difficile. C'est pourquoi nous devons nous proposer de l'examiner attentivement. Pendant le fascisme, la frénésie de spéculation immobilière se dissimula sous une rhétorique des plus inconsistantes, que cette rhétorique éventrât le tissu urbanistique de Rome et d'autres villes au nom du « renouveau des destins impériaux » ou que l'on abattît des quartiers anciens par haine du « pittoresque que nous, nous n'aimons pas » ou en hommage à ce qui survivait du futurisme marinettien – une des rares expériences culturelles (ô combien provinciale elle aussi !) de l'homme providentiel. Il arriva parfois, alors que, dans leur tentative désespérée de sauver un édifice historique, les organes de protection du patrimoine cherchaient à obtenir des sursis, que

l'édifice fût démoli par des bandes armées agissant de nuit sous le commandement plein de hardiesse juvénile de quelque responsable fasciste ventripotent. Résoudre ces questions difficiles par un rapport de forces, c'est un procédé typique, aujourd'hui comme hier, de la mentalité fasciste. Mais on n'a même plus recours, aujourd'hui, au voile de la rhétorique ; aujourd'hui la spéculation immobilière, qui place son « fric » à 25 % de bénéfice au minimum, fort habile à trouver les artifices les plus étranges pour échapper aux contrôles financiers et techniques, part à l'assaut à découvert, sûre de l'impunité et même de la complicité des détenteurs du pouvoir, qui l'aident à échapper aux obligations prescrites par les plans régulateurs de développement urbanistique et aux limitations que pourraient imposer les lois de sauvegarde du patrimoine artistique et du paysage. Une des premières grosses balafres dont eut à souffrir la voie Appia fut l'œuvre de la Pia Casa Santa Rosa, pour qui l'on consentit que toutes les règles établies fussent transgressées « par déférence pour l'institution de bienfaisance ». Et c'est probablement par déférence pour cet insigne personnage que l'on autorisa le maire de Rome à se construire une villa sur un terrain que le plan régulateur destinait à devenir un jardin public.

Aucune autre volonté que celle de la fraction du peuple la plus avancée et la plus responsable ne pourra faire cesser cette dégradation et arrêter ces gens dans leur élan.

Bianchi Bandinelli,
Rome, le centre du pouvoir
Traduction, Nicole Thirion.

Tombeaux en ruine le long de la via Appia

Piranèse archéologue

La parution des « Antichita » de Piranèse, en 1756, fait de ce poète-graveur un pionnier de l'archéologie romaine. Sa conception de l'antique séduisit l'Europe entière de son vivant et nous parle encore. La réussite exceptionnelle de cet ouvrage s'explique par la connaissance approfondie de l'art de l'ingénieur et de l'architecte conjuguée à une imagination d'une puissance rare.

Planche montrant la position du mausolée de Caecilia Metella sur la via Appia.

VEDUTA DELL'ANFITEATRO FLA-

66Tant que le Colisée restera debout, Rome restera debout. Quand le Colisée tombera, Rome tombera ;

quand Rome tombera, le monde tombera aussi. **99** Lord Byron, 1818.

C e frontispice du second tome des *Antichità romane* témoigne de l'énorme intérêt que Piranèse portait
imaginaire tout à fait saisissante.

l'architecture funéraire, notamment aux tombeaux de la via Appia dont il donne ici une reconstitution

Le voyage à Rome

Rome n'a jamais cessé d'exercer une attraction sur les étrangers : pèlerins, humanistes, artistes et hommes d'État se sont pressés à ses portes, dans la hâte d'admirer ses merveilles légendaires. Qu'elle les ait comblés ou déçus, leur rencontre avec la ville a souvent suscité le désir d'écrire leurs impressions, qui restent des documents irremplaçables sur l'état de Rome à leur époque.

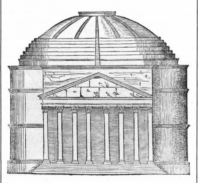

Le Panthéon fut construit sous le règne d'Hadrien entre 119 et 128. C'est le monument antique de Rome le mieux conservé.

Un touriste de l'Antiquité

En 357, l'empereur Constance II effectue un vrai pèlerinage à Rome : il est ébloui. Un historien de cette époque, Ammien Marcellin, fait le récit de cette visite.

Aussitôt entré à Rome, foyer de l'Empire et de toutes les vertus, il vint aux Rostres et resta confondu devant le forum si glorieux de l'antique puissance romaine, et de quelque côté qu'il portât les yeux, il était ébloui par les merveilles accumulées. Après une allocution à la noblesse dans la Curie, et au peuple du haut de son estrade, il fut reçu au Palais, au milieu d'acclamations multipliées, et goûta la joie qu'il avait souhaitée. Souvent, quand il donnait des jeux équestres, il se divertissait aux saillies de la populace, qui savait éviter l'insolence sans se départir de sa liberté invétérée, tandis que l'empereur aussi observait avec réserve la mesure convenable. Il ne permettait pas, comme ce fut le cas en d'autres cités, que sa discrétion marquât le terme des compétitions, mais suivant l'usage il le laissait dépendre de diverses circonstances. Puis, entre les sommets des sept collines, contemplant les quartiers de la cité et ses faubourgs établis sur les pentes et les terrains plats, il pensait que ce qu'il avait vu d'abord l'emportait sur tout le reste : ainsi le sanctuaire de Jupiter Tarpéien, qui domine tout comme le ciel domine la terre ; des thermes aux constructions grandes comme des provinces ; la masse de l'amphithéâtre consolidée par un bâti en pierre de Tibur, et dont le regard de l'homme n'atteint que difficilement le sommet ; le Panthéon, semblable à un quartier qui serait arrondi, et sa coupole d'une hauteur grandiose ; les colonnes élevées, qui se dressent avec leur plate-forme

L e marché de Trajan était le cœur commerçant de la Rome impériale. Il servit également à renforcer la colline du Quirinal, affaiblie par les travaux de déblaiement effectués pour le Forum d'Auguste.

accessible et portent les images des anciens empereurs ; le temple de la Ville et le Forum de la Paix, le Théâtre de Pompée, l'Odéon, le Stade et, parmi ceux-ci, les autres ornements de la Ville Éternelle. mais quand il arriva au Forum de Trajan, monument unique sous tous les cieux, et à mon avis admirable au sentiment même des dieux, il demeura confondu : il portait son attention autour de lui, à travers ces constructions gigantesques qui défient la description et que les hommes ne chercheront plus à reproduire. Aussi renonçant à tout espoir de tenter une œuvre semblable, il déclara que l'imitation du cheval de Trajan, dressé au milieu de la cour d'entrée et monté par le prince en personne, était seule dans ses intentions et possibilités. Le prince Hormisdas, qui se tenait près de lui et dont nous avons relaté plus haut le départ de Perse, lui repartit avec la finesse de sa race : « Auparavant, Majesté, fais construire une écurie semblable, si tu le peux ; que le cheval que tu projettes s'y trouve aussi largement logé que celui que nous voyons. » Ce même prince, à qui l'on demandait ce qu'il pensait de Rome, répondit qu'une seule chose lui plaisait, c'est qu'il avait appris que là aussi les hommes étaient mortels. Ainsi, après avoir vu bien des choses avec une stupéfaction effarée, l'empereur se plaignait de l'incapacité et de la malveillance de la Renommée, qui exagère toujours toutes choses, mais qui se fait plus mesquine en décrivant ce qui est à Rome. Après une longue délibération sur ce qu'il ferait dans la Ville, il résolut d'ajouter à ses ornements en érigeant, au Cirque Maxime, un obélisque dont je décrirai la provenance et la forme à la place convenable.

Ammien Marcellin.

« Cette humeur avide des choses nouvelles et inconnues »

Montaigne voyagea en Italie vers 1580. Il écrivait parfois ses impressions, en français et en italien, ou bien les faisait écrire par son secrétaire.

Judy vint-sixième de janvier, M. de Montaigne étant allé voir le mont *Janiculum*, delà le Tibre, et considérer les singularités de ce lieu là, entre autres une grande ruine d'un vieus mur avenue deus jours auparavant, et contempler le sit de toutes les parties de Rome, qui ne se voit de nul autre lieu

Michel de Montaigne.

si cleremant, et delà estant descendu au Vatican pour y voir les statues enfermées aux niches de Belveder, et la belle galerie que le pape dresse des peintures de toutes les parties de l'Italie, qui est bien près de sa fin, il perdit sa bourse et ce qui estoit dedans ; et estima que ce fût que, en donnant l'aumone à deus ou trois fois, le temps estant fort pluvieus et mal plesant, au lieu de remettre sa bourse en sa pochette, il l'eût fourrée dans les découpres de sa chausse.

Touts ces jours là il ne s'amusa qu'à estudier Rome. Au commencemant il avoit pris un guide françois ; mais celui-là, par quelque humeur fantastique, s'étant rebuté, il se piqua, par sa propre estude, de venir à bout de ceste science, aidé de diverses cartes et livres qu'il se faisoit remettre le soir, et le jour alloit sur les lieus mettre en pratique son apprentissage ; si que en peu de jours, il eust ayséemant reguidé son guide.

Il disoit « qu'on ne voïoit rien de Rome que le ciel sous lequel elle avoit esté assise et le plan de son gîte ; que ceste science qu'il en avoit estoit une science abstraite et contemplative, de laquelle il n'y avoit rien qui tumbast sous les sens ; que ceux qui disoint qu'on y voyoit au moins les ruines de Rome en disoint trop ; car les ruines d'une si espouvantable machine rapporteroint plus d'honneur et de reverence à sa mémoire ; ce n'estoit rien que son sepulcre. Le monde, ennemi de sa longue domination, avoit premierement brisé et fracassé toutes les pieces de ce corps admirable ; et, parce qu'encore tout mort, ranversé et défiguré, il lui faisoit horreur, il en avoit enseveli la ruine mesme ; que ces petites montres de sa ruine qui paressent encores au dessus de la biere, c'estoit la fortune qui les avoit conservées pour le

Commencé par César et achevé par Auguste en 13 après J.-C., le théâtre de Marcellus (en haut) était conçu pour accueillir 20 000 personnes. Représentation de la Rome antique au temps de Pline par le topographe Marco Fabio Calvo en 1527 (en bas).

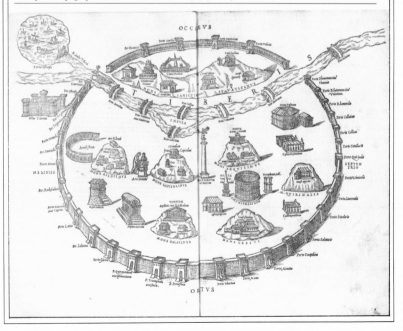

tesmoignage de ceste grandeur infinie que tant de siècles, tant de fus, la conjuration du monde reiterées à tant de fois à sa ruine, n'avoint peu universelement esteindre ; mais estoit vraisamblable que ces mambres desvisagés qui en restoint, c'estoint les moins dignes, et que la furie des ennemis de ceste gloire immortelle les avoit portés premierement à ruiner ce qu'il y avoit de plus beau et de plus digne ; que les bastimans de ceste Rome bastarde qu'on aloit à ceste heure atachant à ces masures, quoi qu'ils eussent de quoi ravir en admiration nos siecles presans, lui faisoint resouvenir propremant des nids que les moineaus et les corneilles vont suspendant en France aus voutes et parois des eglises que les Huguenots viennent d'y démolir. Encore craignoit-il à voir l'espace qu'occupe ce tumbeau qu'on ne le reconnût pas du tout, et que la sépulture ne fût elle mesme pour la plupart ensevelie ; que cela, de voir une si chetifve descharge, comme des morceaus de tuiles et pots cassés, estre antiennemant arrivé à un morceau de grandur si excessive qu'il égale en hauteur et largeur plusieurs naturelles montaignes, (car il le comparoit en hauteur à la mote de Gurson et l'estimoit double en largeur), c'estoit une expresse ordonnance des destinées, pour faire santir au monde leur conspiration à la gloire et à la préeminance de ceste ville, par un si nouveau et extraordinere tesmoignage de sa grandeur. Il disoit ne pouvoir aiséemant faire convenir, veu le peu d'espace et de lieu que tiennent aucuns de ces sept mons, et notammant les plus fameus, comme le Capitolin et le Palatin, qu'il y renjast un si grand nombre d'édifices. A voir seulement ce qui reste du temple de la paix, le logis

du *Forum Romanum*, duquel on voit encore la chute toute vifve, comme d'une grande montaigne, dissipée en plusieurs horribles rochiers, il ne semble que deus tels bastimans peussent tenir en toute l'espace du mont du Capitole, où il y avoit bien 25 ou 30 tamples, outre plusieurs maisons privées. Mais, à la vérité, plusieurs conjectures qu'on prent de la peinture de ceste ville

Le Pasquin, buste d'un marbre grec qui représenterait Ménélas, fut découvert en 1501. Sur son socle, étaient régulièrement affichés des commentaires acerbes sur les autorités en place.

Guide montrant les merveilles de la Rome antienne et de la Rome moderne.

antienne n'ont guiere de verisimilitude, son plant mesme estant infinimant changé de forme ; aucuns de ces vallons estans comblés, voire dans les lieus les plus bas qui y fussent ; comme par exemple, au lieu du *Velabrum*, qui pour sa bassesse recevoit l'esgout de la ville et avoit un lac, s'est tant eslevé des mons de la hauteur des autres mons naturels qui sont autour delà ; ce qui se faisoit par le tas et monceau des ruines de ces grans bastimans ; et le *monte Savello* n'est autre chose que la ruine d'une partie du theatre de Marcellus. Il croit qu'un ancien Romain ne sauroit reconnoistre l'assiette de sa ville quand il la verroit. Il est souvent avenu qu'après avoir fouillé bien avant en terre on ne venoit qu'à rencontrer la teste d'une fort haute coulonne qui estoit encor en pieds au dessous. On n'y cherche point d'autres fondemens aus maisons que de vieilles masures ou voutes, comme il s'en voit au dessous de toutes les caves, ny encor l'appuy du fondement antien ny d'un mur qui soit en son assiette ; mais sur les brisures mesmes des vieus bastimans, comme la fortune les a logés, en se dissipant, ils ont planté le pied de leurs palais nouveaus, comme sur des gros loppins de rochiers, fermes et assurés. Il est aysé à voir que plusieurs rues sont à plus de trente pieds profond au dessous de celles d'à-ceste-heure.

Montaigne,
Journal de voyage.

Des propositions à faire frémir

Les « Lettres familières écrites d'Italie », de Charles de Brosses (1709-1777) ont été rédigées plusieurs années après son voyage qui eut lieu vers 1739-1740. On y trouve un tableau précis de l'état des ruines romaines et un écho du formidable engouement qu'elles suscitent.

En vérité, je crois qu'il est difficile de se trouver pour la première fois au milieu de ces augustes solitudes du Colisée et des *Terme Antoniane* sans ressentir dans l'âme quelque petit saisissement à la vue de la vieille majesté de leurs antiques masses révérées et abandonnées. Les galeries de l'enveloppe extérieure du Colisée servent encore néanmoins de refuge aux petits marchands, qui étalent sur des perches, fichées dans ces trous, d'où je vous ai dit que l'on avait tiré les tenons de bronze du sein des blocs de pierre. Il ne subsiste plus qu'un demi-cercle de cette enveloppe extérieure, à quatre prodigieux étages d'architecture en arcades et colonnes, le premier étage en partie enterré. Elle se soutient par sa propre masse, malgré le peu de soin que l'on en a, malgré les grosses pierres qui pendent des sublimes corniches ; elle ne demanderait pas mieux que d'être raccommodée. Les basses galeries intérieures conservent leur cercle entier ; mais elles sont tout à fait délabrées et font une triste mine. Dans l'arène, qui est une assez grande place, à peine discerne-t-on l'ancienne figure des gradins qui, au rapport des historiens, contenaient quatre-vingt-dix mille spectateurs. Je n'ai pas de peine à le croire, puisque l'amphithéâtre de Vérone, qui n'est guère que le tiers de celui-ci, en

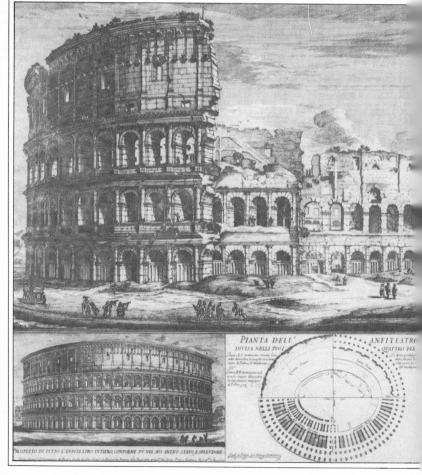

PROSPETTO DI TVTTO L'ANFITEATRO INTIERO, CONFORME FV NEL SVO ANTICO STATO, E SPLENDORE

PIANTA DELL' ANFITEATRO
DIVISA NELLI SVOI QVATTRO PIA

contient environ trente mille. Les Romains, à la vue de l'amphithéâtre de Vérone, que les habitants ont si bien réparé, doivent avoir honte de laisser le leur dans un tel désordre, lui qui est tout autrement vaste et célèbre, et qui a conservé la moitié de sa plus belle partie ; avantage que n'a pas celui de Vérone, où il ne reste quasi plus rien de l'enveloppe extérieure. Mon projet (car je suis fertile en projets) serait de réduire le Colisée en demi-amphithéâtre, d'abattre le reste des cintres du côté du mont Caelius, de rétablir dans son ancienne forme l'autre moitié qu'on laisserait subsister, et de faire de l'arène une belle place publique. Ne vaut-il pas mieux avoir un demi-Colisée en bon état que de l'avoir tout entier en guenilles ? Et qui vous empêche, messieurs les Romains, de mettre au milieu de cette place une vaste fontaine ou même un lac, pour vous redonner un air d'ancienne naumachie ?

L'arc de triomphe de Constantin, à trois portes, ferait une des entrées de la place. On l'a fort bien réparé dans ce siècle-ci ; les Barbares avaient coupé la tête à toutes les statues ; on leur en a fait de neuves ; on a raccommodé les bas-reliefs, rejoint les pièces de marbre ; en un mot, quoique cet arc soit mélangé de bon et de mauvais goût (car au temps de Constantin on travaillait misérablement, et les bonnes pièces sont celles de l'arc de Trajan, qu'on détruisit pour les employer ici), c'est aujourd'hui l'une des principales antiques de Rome et des mieux conservées.

Voyez-vous près de l'arc de Constantin cette pauvre porte cochère ronde et basse ? Prosternez-vous, Quintin, c'est la porte de la feue maison de Cicéron. La place par où le maître de la république romaine rentrait chez lui, précédé de douze licteurs et suivi de deux mille chevaliers romains, n'est plus que le chétif *atrium* de quelque vigneron. Qu'est-ce que de nous ? Cela fait peur.

Charles de Brosses,
Lettres d'Italie,
in Yves Hersant, *Italies*.

SPACCATO E VEDUTA INTERIORE DELL'ANFITEATRO.

Madame de Staël.

Rome romantique

Le roman de madame de Staël, « Corinne »,
se passe à Rome, où les héros, Corinne et
Oswald, découvrent la poétique des ruines.

Oswald ne pouvait se lasser de
considérer les traces de l'antique Rome,
du point élevé du Capitole où Corinne
l'avait conduit. La lecture de l'histoire,
les réflexions qu'elle excite, agissent
bien moins sur notre âme que ces
pierres en désordre, que ces ruines
mêlées aux habitations nouvelles. Les
yeux sont tout-puissants sur l'âme :
après avoir vu les ruines romaines, on
croit aux antiques Romains, comme si
l'on avait vécu de leur temps. Les
souvenirs de l'esprit sont acquis par
l'étude : les souvenirs de l'imagination
naissent d'une impression plus
immédiate et plus intime, qui donne de
la vie à la pensée, et nous rend, pour
ainsi dire, témoins de ce que nous avons
appris. Sans doute on est importuné de
tous ces bâtiments modernes qui
viennent se mêler aux antiques débris.

Mais un portique debout à côté d'un
humble toit ; mais des colonnes entre
lesquelles de petites fenêtres d'églises
sont pratiquées, un tombeau servant
d'asile à toute une famille rustique,
produisent je ne sais quel mélange
d'idées grandes et simples, je ne sais
quel plaisir de découverte qui inspire un
intérêt continuel. Tout est commun,
tout est prosaïque dans l'extérieur de la
plupart de nos villes européennes ; et
Rome, plus souvent qu'aucune autre,
présente le triste aspect de la misère et
de la dégradation : mais à coup une
colonne brisée, un bas-relief à demi
détruit, des pierres liées à la façon
indestructible des architectes anciens,
vous rappellent qu'il y a dans l'homme
une puissance éternelle, une étincelle
divine, et qu'il ne faut pas se lasser de
l'exciter en soi-même, et de la ranimer
dans les autres.

Ce Forum, dont l'enceinte est si
resserrée, et qui a vu tant de choses
étonnantes, est une preuve frappante de
la grandeur morale de l'homme.
Quand l'univers, dans les derniers
temps de Rome, était soumis à des
maîtres sans gloire, on trouve des siècles
entiers dont l'histoire peut à peine
conserver quelques faits ; et ce Forum,
petit espace, centre d'une ville alors très
circonscrite, et dont les habitants
combattaient autour d'elle pour son
territoire, ce Forum n'a-t-il pas occupé,
par les souvenirs qu'il retrace, les plus
beaux génies de tous les temps ?
Honneur donc, éternel honneur aux
peuples courageux et libres, puisqu'ils
captivent ainsi les regards de la
postérité !

Corinne fit remarquer à lord Nelvil
qu'on ne trouvait à Rome que très peu
de débris des temps républicains. Les
aqueducs, les canaux construits sous
terre pour l'écoulement des eaux,

Touristes flânant sur le Campo Vaccino.

étaient le seul luxe de la république, et des rois qui l'ont précédée. Il ne nous reste d'elle que des édifices utiles, des tombeaux élevés à la mémoire de ses grands hommes, et quelques temples de briques qui subsistent encore. C'est seulement après la conquête de la Sicile que les Romains firent usage, pour la première fois, du marbre pour leurs monuments : mais il suffit de voir les lieux où de grandes actions se sont passées pour éprouver une émotion indéfinissable. C'est à cette disposition de l'âme qu'on doit attribuer la puissance religieuse des pèlerinages. Les pays célèbres en tout genre, alors même qu'ils sont dépouillés de leurs grands hommes et de leurs monuments, exercent beaucoup de pouvoir sur l'imagination. Ce qui frappait les regards n'existe plus ; mais le charme du souvenir y est resté.

Madame de Staël,
Corinne.

L'esthétique des ruines

Jean-Jacques Ampère (1800-1864), ami de Tocqueville et de Mérimée, associe le récit de voyage à la critique historique. « La critique a toujours été un peu casanière, écrivait-il, j'ai voulu lui faire voir le monde. »

Le sentiment poétique des ruines n'existait pas au XVIᵉ et au XVIIᵉ siècle. Il naquit en France à la fin du XVIIIᵉ siècle avec la mélancolie, qu'on ne rencontre guère dans la littérature française avant Rousseau. Le siècle des sens et de l'esprit devait y arriver, car la mélancolie est au bout de la pensée et du plaisir. Déjà Bernardin de Saint-Pierre avait dit des choses charmantes sur la grâce des ruines ; mais celui qui en révéla véritablement la poésie, ce fut l'homme qui rouvrit au siècle naissant le monde de la religion et de l'imagination, que le vieux siècle croyait avoir fermé. On avait admiré dans le *Génie du christianisme* une théorie éloquente des ruines, et voici que l'auteur de ce livre immortel était à Rome, au milieu des ruines de la cité impériale, devenue la grande métropole chrétienne. Comment n'eût-il pas trouvé là d'admirables paroles pour exprimer ce qu'elles lui inspiraient ? N'avait-il pas appris d'ailleurs des événements et de la vie à comprendre leur langage sévère ?... Ne devait-il pas, mieux que personne avant lui, sympathiser avec ces débris illustres ?... Il avait contemplé les débris d'un édifice plus grand que les palais des Césars et les temples des dieux, ceux de l'ancienne société française écroulée à ses pieds et cette chute avait laissé dans son âme comme un long retentissement. Il avait connu aussi la ruine des illusions et des espérances ; ce que *René* a dit d'une manière sublime ; ce que diront, avec plus de sublimité

René de Chateaubriand.

encore et de profondeur, ces mémoires qu'on a tant besoin de demander, pour n'avoir pas à les attendre. Il était doublement préparé par son temps et par son génie à sentir et à rendre le caractère grandiose et l'attendrissante mélancolie des ruines romaines. Il ne leur a donné que quelques lignes dans une correspondance rapide ; mais quelle précision pénétrante on trouve dans celle-ci :

« Quiconque n'a plus de lien dans sa vie doit venir demeurer à Rome ; là il trouvera pour société une terre qui nourrira ses réflexions, des promenades qui lui diront toujours quelque chose. La pierre qu'il foulera aux pieds lui parlera, et la poussière que le vent élèvera sous ses pas renfermera quelque grandeur humaine. » Ce qui suit se rapporte à la villa d'Hadrien, à Tivoli, mais peint merveilleusement des effets pittoresques et mélancoliques qui se reproduisent souvent dans les ruines de Rome.

« Autour de moi, à travers les arcades des ruines, s'ouvraient des points de vue sur la campagne romaine : des buissons de sureau remplissaient les salles désertes, où venaient se réfugier quelques merles solitaires ; les fragments de maçonnerie étaient tapissés de feuilles de scolopendre, dont la verdure satinée se dessinait comme un travail en mosaïque sur la blancheur des marbres. Çà et là de hauts cyprès remplaçaient les colonnes tombées dans ces palais de la mort. L'acanthe sauvage rampait à leurs pieds sur des débris, comme si la nature s'était plu à reproduire sur ces chefs-d'œuvre mutilés de l'architecture l'ornement de leur beauté passée ; les salles diverses, et les sommités des ruines, ressemblaient à des corbeilles et à des bouquets de verdure ; le vent en agitait les guirlandes humides, et les plantes s'inclinaient sous la pluie du ciel. »

Mais ce ne sont pas seulement les ruines proprement dites dont l'admirable écrivain a pleinement rendu la physionomie et le caractère. Cette autre poésie de Rome plus intime, et qui ne se manifeste qu'à ceux qui la considèrent de plus près et avec plus d'amour, la poésie des lieux solitaires, des rues désertes, des cloîtres vides, cette poésie n'a pas été perdue pour lui, et à côté d'une description du Colisée éclairé par la lune, elle lui dicte les paroles suivantes ; je les tire d'une lettre moins connue que la magnifique lettre à M. de Fontanes.

« Rome sommeille au milieu de ses ruines ; cet astre de la nuit, globe que l'on suppose un monde fini et dépeuplé, promène ses pâles solitudes au-dessus des solitudes de Rome ; il éclaire des rues sans habitants, des enclos, des plans, des jardins où il ne passe personne ; des monastères où on n'entend plus la voix des cénobites ; des cloîtres qui sont aussi déserts que les portiques du Colisée. »

J.-J. Ampère,
Portraits de Rome à différents âges,
in Yves Hersant, *Italies.*

L'Antiquité incarnée face au voyageur romain.

Journal de voyage

Décidé à écrire un roman sur Rome, Zola entreprend en 1893 un voyage dans la capitale de cette jeune monarchie qui éventre la vieille ville et la livre à une spéculation effrénée.

Toute la journée passée dans les ruines, une indigestion de ruines, de quoi évoquer la grandeur romaine. Le matin, d'abord au Forum. Les colonnes qui restent du temple de Vespasien, un grand effet d'élégance et de puissance, dans l'air bleu. La basilique Julia, rien qu'une indication, mais très nette, à terre. La petitesse du Forum, qui surprend toujours, lorsqu'on la compare à certains monuments, le Colisée, les thermes de Caracalla. Il semble que la vie romaine se soit parfois resserrée dans de très petits espaces (la maison de Livie, etc.) et tantôt étalée dans des espaces considérables. Pourquoi ? Le problème est-il résolu ? Plus loin l'atrium des Vestales, le « couvent » ancien des Vestales : vestiges intéressants, dominés par les restes du palais de Caligula qui descend du Palatin. Presque en face l'église San Lorenzo in Miranda, installée dans le temple d'Antonin et de Faustine : exemple frappant de l'église qui se loge dans le temple d'une autre religion. Les colonnes de porphyre rouge. Mais surtout l'étonnement est la basilique de Constantin, avec ses trois énormes porches, ses trois voûtes béantes avec leurs caissons ; le morceau tombé de la voûte, un morceau énorme. Quelle masse ! Pourquoi des constructions si gigantesques, si épaisses ? De la Voie sacrée qui passe devant la basilique de Constantin, on a une vue très intéressante sur le Forum, en se retournant. La Voie sacrée tourne et monte. Comme les triomphateurs devaient être secoués sur ce gros pavé,

dans leur char pas suspendu. le Forum actuel, en sa ruine, gris et désolé. De la poussière. Pas une nappe d'herbe, quelques brins d'herbe entre les pavés de la Voie sacrée. Et cela par les lourds soleils de l'été, avec l'ombre mince des rares colonnes debout, la colonne de Phocas et celles des temples. L'arc de Septime Sévère. Les rostres, etc. Des temples autour. Mais il y a dix façons de reconstruire le Forum. Et je ne suis qu'un artiste qui évoque.

Ensuite je suis allé au Colisée. La masse énorme, le côté écroulé, le côté debout, avec ses baies sur le bleu. De partout, des couloirs voûtés qui s'ouvrent, où des escaliers mangés sont comme des pentes. Le colosse est comme une dentelle de pierre, avec toutes les ouvertures sur le bleu. Un ciel bleu au-dessus, très clair, avec des vols de petits nuages. Comment pouvait-on tirer le velum dessus ? L'évocation de ce cirque immense, plein de foule, avec ses quatre-vingt mille spectateurs (?), sa loge de l'empereur, les vestales en dessous. Une ruine cuite par le soleil, dorée, majestueuse et gigantesque encore dans son demi-écroulement. L'arc de Titus, avec son bas-relief des Juifs vaincus, ramenés esclaves et portant le chandelier à sept branches.

L'après-midi, je suis allé aux thermes de Caracalla. C'est l'édifice gigantesque et inexplicable. Deux vestibules immenses, avec des parties de pavé en mosaïques bien conservées. Un frigidium, avec l'indication d'une piscine où pouvaient se baigner à la fois cinq cents personnes. Un tepidarium très vaste aussi, et un caldarium de même, avec, à côté, tout le système des fours à chauffer encore visible. Et toutes sortes de dépendances dont on ignore l'usage. Mais l'extraordinaire, c'est la hauteur des salles, l'épaisseur des murs, la masse effroyable du monument. Aucun de nos châteaux forts du Moyen Age n'a été bâti avec cette masse cyclopéenne. Des massifs de briques et de ciment extravagants. Il faut ajouter que tout cela était recouvert de marbres précieux, orné de statues. Un luxe écrasant dans l'énormité. Pour quelle civilisation colossale ? Les personnes qui passent y ont l'air de fourmis. On dirait aujourd'hui des rochers frustes, des matériaux agglomérés, entassés, pour des demeures de Titans.

Émile Zola,
Voyage à Rome,
in Yves Hersant, *Italies.*

Vue de la via Sacra depuis le Colisée. Touristes sur le Forum à la fin du XIXᵉ siècle.

Parker photographe

John Henry Parker (1806-1884) éditeur et libraire anglais séjourne à Rome en 1863, où il est subjugué par ses monuments antiques. Il fonde une association d'amateurs d'archéologie, pour laquelle il organise bon nombre de lectures et d'excursions. Vers 1866, il entame son grandiose projet de photographier systématiquement les principaux monuments de Rome. Il publie en 1879 le résultat de son travail, un catalogue d'environ 3 300 photographies.

Restes de l'aqueduc de Claude dans la campagne romaine (en haut) ; fragments d'un temple, ou d'une tombe, trouvés en 1873 dans les thermes de Caracalla (en bas, à gauche) ; réservoir de l'aqueduc de Claude à environ cinq kilomètres de Rome (en bas, à droite).

C olonne enrichie d'une sculpture (en haut), vue du cloître de l'église de Santa-Croce-in-Gerusalemme. Ci-dessous, vestiges du temple d'Hadrien.

La Meta sudans, restes d'une fontaine devant le Colisée, sera détruite dans les années 30 (en haut) ; la tombe de la famille Naso, sur la via Flaminia (en bas) était décorée de riches peintures, aujourd'hui disparues.

Histoires de fouilles

Comme partout ailleurs, les premiers archéologues ont été aussi chercheurs de trésors. Qu'ils fussent destinés à être cachés, revendus ou exposés dans une riche demeure, les objets antiques étaient recherchés pour un profit immédiat, l'argent ou le prestige social. Dans les premiers récits de fouilles se lit aussi cette avidité, cette hâte d'accumuler et d'étonner.

B envenuto Cellini, sculpteur florentin.

Un artiste et l'Antiquité

Benvenuto Cellini (1500-1571) se rendit célèbre par son habileté de sculpteur et d'orfèvre. Comme les autres artistes de son temps, il dessine les monuments antiques, effectue des relevés... et prend part à la chasse aux trésors.

J'avais vingt-trois ans à peu près quand éclata une épidémie de peste si terrible qu'à Rome les gens mouraient par milliers tous les jours. J'eus un peu peur, et, d'instinct, me trouvai un nouveau divertissement. Je procédai de la manière suivante : les jours de fête, j'aimais bien aller voir les monuments antiques pour les dessiner ou en faire des modèles de cire. Dans leurs ruines gîtent d'innombrables couvées de pigeons. J'eus envie de les tirer avec mon escopette. Dans ma terreur de la peste, pour fuir les contacts, je mettais l'escopette sur l'épaule de mon Paolino et seuls, lui et moi, nous nous en allions vers les ruines d'où je revenais très souvent avec une charge de pigeons bien dodus. Je m'amusais à ne mettre qu'une seule balle dans mon escopette et à réussir grâce à mon seul talent de tireur de belles chasses. C'était une escopette droite, fabriquée de mes propres mains, au dedans et au dehors brillants, plus qu'aucun miroir. Je composais moi-même une poudre très fine qui me permit de découvrir de merveilleux secrets, inconnus de tous jusqu'à aujourd'hui. Un seul exemple, pour ne pas être trop long, mais un exemple capable d'émerveiller tous les connaisseurs : avec un poids de poudre égal au cinquième de celui de la balle, celle-ci portait à deux cents pas à tir rasant. La joie que je tirais de mon arme me détournait de mon métier et de mes recherches, c'est certain ; mais d'un autre côté, j'en tirais beaucoup plus de profit que je n'y perdais :

chaque partie de chasse améliorait ma santé, le grand air me faisait beaucoup de bien. Je suis de nature mélancolique et ce plaisir me réjouissait aussitôt le cœur. Mon travail s'en trouvait mieux, mon talent était bien plus vif que lorsque je me consacrais exclusivement à mes travaux de recherches. A la fin du jeu, mon gain l'emportait sur mes pertes. De plus, cette distraction me permit de lier amitié avec des chasseurs de trésors qui épiaient les paysans lombards venus en saison piocher les vignes à Rome. En bêchant, ils trouvaient à chaque instant des médailles antiques, des agates, des prasmes, des cornalines, des camées ; ils tombaient aussi sur des bijoux,

émeraudes, saphirs, diamants et rubis. Tous ces joyaux étaient achetés aux paysans, parfois pour presque rien, par les chercheurs d'or. Souvent, je les leur rachetais à mon tour en payant beaucoup plus d'écus d'or qu'ils n'avaient dépensé de jules. Je réalisais de jolis bénéfices en les revendant au moins dix fois plus et je me faisais bien voir au surplus de presque tous les cardinaux de Rome. Je ne signalerai que quelques-unes de mes trouvailles, d'une extraordinaire rareté ; il me tomba entre les mains une tête de dauphin grosse comme les fèves dont on se sert pour voter. Je ne la cite pas en raison de sa remarquable beauté, mais parce qu'ici la nature était plus forte que l'art. C'était une émeraude d'une si belle couleur que la personne qui me l'acheta quelques dizaines d'écus la fit monter en simple bague et la revendit dix fois plus. Un autre exemple de pierre : une tête en topaze, la plus belle topaze jamais vue en ce monde. Cette fois, l'art égalait la nature. Elle avait la taille d'une grosse noisette et représentait la tête de Minerve, exécutée avec toute la perfection possible. Encore un autre exemple : un camée gravé avec Hercule enchaînant Cerbère tricéphale. Il était d'une telle splendeur et d'une telle perfection d'exécution que notre grand Michel-Ange déclara n'avoir jamais vu pareille merveille. Parmi de nombreuses médailles de bronze, il m'en arriva une où figurait la tête de Jupiter. Je ne connaissais pas de médaille de cette taille si bien gravée. Le revers avec ses petites figures parfaites n'était pas moins beau. J'aurais bien d'autres choses à dire sur ce sujet, mais j'y renonce pour abréger.

Benvenuto Cellini,
Sa vie écrite par lui-même.

Flaminio Vacca était un architecte passionné d'antiquités. Premier exemple de compte rendu de fouilles, ses Mémoires constituent un précieux document sur les découvertes de son temps, même si le goût de l'anecdote l'emporte parfois sur la vérité.

Sur le mont Sainte-Marie-Majeure, du côté de la Suburra, M. Leone Strozzi trouva, en faisant creuser, sept statues deux fois grandeur nature, dont il fit don à Ferdinando, grand-duc de Toscane, alors cardinal à Rome ; la plus belle d'entre elles était un Apollon, qui, une fois restauré par mes soins, fut placé dans l'entrée du palais à la Trinité-des-Monts, au premier étage de l'escalier en colimaçon.

J'ai entendu dire par Gabriel Vacca, mon père, que le cardinal della Valle, s'étant entiché d'extraction de trésors, fit creuser dans les thermes de Marco Agrippa, où l'on trouva une grande couronne impériale romaine de métal doré. Comme elle ressemblait à certaines gimblettes qui se vendaient dans les rues de Rome, les ouvriers dirent : « Voici une gimblette. » Et, pour avoir un pourboire, ils se précipitèrent chez le cardinal et lui dirent : « Nous avons trouvé une gimblette de bronze. » Et l'aubergiste qui devait venir habiter dans les lieux peu après prit cette gimblette pour enseigne. C'est ainsi qu'on l'a toujours appelée la Gimblette.

Ma maison, celle où j'habite à présent, est construite sur ces thermes. En voulant fonder un mur, je trouvai l'eau, et en sondant avec le pieu de fer, je trouvai un chapiteau corinthien. On le mesura : quatre empans de la corne à la fleur ; en cela il était indentique à ceux du portique de la Rotonde. L'eau se faisant trop abondante, il fallut le laisser dormir. En faisant la cave, je trouvai une grosse niche entièrement garnie de tuyaux de terre cuite plats, qui servaient tout simplement à conduire la chaleur dans ce poêle. Dessous je trouvai le plancher sur lequel marchaient les anciens, recouvert de plaques de marbre ; sous les plaques il y avait un épais pavement, et sous le pavement, de nombreux piliers qui le soutenaient. C'est entre l'un et l'autre de ces piliers qu'on plaçait le foyer : des cendres et des charbons s'y trouvaient encore. On découvrit également un gros trou rempli de feuilles de plomb, rivées minutieusement par des clous de métal, et quatre colonnes de granite, pas très grandes cependant. Puis je me résolus à murer sans chercher plus loin.

Je me souviens que dans la rue où habitent les Leutari, près du palais de la Chancellerie, à l'époque du pape Jules III on trouva sous une cave une statue de Pompée de quinze empans de haut, qui avait au-dessus du cou un mur de séparation entre deux maisons. Le propriétaire de l'une se la vit interdire par celui de l'autre, chacun d'eux considérant qu'il était propriétaire de la statue : l'un alléguait que, puisqu'il en possédait la plus grosse partie, elle lui revenait de droit, l'autre prétendait qu'elle lui appartenait puisqu'il avait chez lui la tête, soit la partie la plus statue. Finalement, après s'être querellé, on en vint à la sentence : le juge, cet ignorant, prescrivit qu'on lui coupe la tête et que chacun ait sa part. Pauvre Pompée ! Ça n'avait pas suffi que Ptolémée la lui coupe, le mauvais sort le poursuivait même à l'état de marbre ! Lorsque cette si stupide sentence parvint aux oreilles du cardinal Capodiferro, il la fit surseoir, et se rendit auprès du pape Jules, auquel il raconta l'histoire. Le pape en fut

Le temple de la Paix dessiné par Antoine Desgodets.

Colonne dressée deuant
S.ᵗ. Marie Majeure.

Profil sur la largeur.

Profil sur la longeur

Plan de ce qui   resse a present.

stupéfait ; il ordonna immédiatement que l'on creuse avec soin à son intention, et il envoya aux propriétaires cinq cents écus à se partager. La statue une fois extraite, il en fit cadeau au même cardinal Capodiferro. Certes ce fut une sentence papale, mais on avait bien besoin d'un Capodiferro [Tête-de-Fer, NdT]. À présent la statue se trouve dans la salle de son palais à Ponte Sisto.

Dans la vigne de Gabriel Vacca, mon père, à côté de la porte Salara dans les murs, il y a un terrain que l'on appelle les jardins de Salluste. En creusant on y trouva un grand bâtiment de forme ovée, avec tout autour un portique orné de colonnes jaunes, longues de dix-huit empans et cannelées, aux chapiteaux et bases corinthiens. Ce bâtiment ové avait quatre entrées desservies par des escaliers qui descendaient au niveau du plancher, fait de marbres tachetés en beaux compartiments ; et à chacune de ces entrées se trouvaient deux colonnes d'albâtre oriental transparent. Sous le bâtiment nous trouvâmes quelques tuyaux, assez grands pour qu'un homme y marche debout, tous recouverts de dalles de marbre grec, ainsi que deux tuyaux de plomb, de dix empans de long et de plus d'un empan de diamètre chacun, portant l'inscription suivante : NERONIS CLAUDIVS. On y trouva aussi de nombreuses médailles de Gordien en métal et en argent, de la taille d'un sou, et quantité de mosaïques. Le cardinal de Montepulciano acheta les colonnes jaunes et en fit faire la balustrade de sa chapelle à San Pietro Montorio. Il acheta aussi les colonnes d'albâtre : il fit lustrer celle d'entre elles qui était entière, et de celles qui étaient cassées il fit faire des tables, qu'il envoya en cadeau au roi du Portugal en même temps que d'autres antiquités. Mais quand elles furent en haute mer, l'impétueuse Fortune, les trouvant sous son empire, en fit cadeau à la mer.

J'ai vu extraire, dans le Forum romain, du côté de l'arc de Septime, ces grands piédestaux qui sont à présent dans le cortile du cardinal Farnèse, couverts de lettres et de noms.

Il y a plusieurs années, alors que j'allais regarder les antiquités, me retrouvant hors la porte San Bastiano à Capo di Bove, je vins m'abriter de la pluie dans une petite auberge. Et alors que j'attendais en discutant avec l'aubergiste, celui-ci me raconta que quelques mois plus tôt se trouvait là un homme venu chercher un peu de feu, qui revint le soir dîner avec trois compagnons, avec lesquels il repartit ensuite. Mais les trois compagnons ne

Commencés en 206, les thermes de Caracalla (dont un stade, une galerie d'art, des jardins d'agrément

parlaient jamais, et cela dura six soirées consécutives. L'aubergiste se mit à les soupçonner, craignant qu'ils ne fassent quelque mauvais coup, et se résolut à les dénoncer. C'est ainsi qu'un soir qu'ils avaient dîné comme à l'habitude, il les suivit à la faveur de la lune et les vit entrer dans des grottes dans le cirque de Caracalla. Le lendemain matin il le fit savoir aux autorités, qui s'y rendirent immédiatement. En cherchant dans ces grottes, on découvrit que l'on avait extrait une grande quantité de terre et creusé une profonde cavité, dans laquelle se trouvaient de nombreux débris de vases de terre, tout récemment cassés. Et en grattant cette terre on trouva les outils de fer, recouverts, qui leur avaient servi à creuser. Voulant moi-même mettre la chose au clair et n'étant pas loin, je m'y rendis ; je vis les tas de terre et les débris de vases en forme de jarre. On suppose que ces hommes étaient des Goths, qui avaient trouvé ce trésor grâce à quelque ancienne information.

Derrière les thermes de Dioclétien, le propriétaire d'une vigne qui voulait se faire une maisonnette découvrit deux murs. Il commença à creuser entre les deux, et, en descendant, il vit un fosse ; il y pénétra après l'avoir agrandie. Elle était faire à la manière d'un four. Il y trouva dix-huit têtes de philosophes bien rangées, que M. Giorgio Cesarini acheta. Elles furent ensuite vendues par M. Giuliano au cardinal Farnèse et se trouvent à présent dans sa galerie.

Flaminio Vacca,
Memorie.
Traduction, Nicole Thirion.

on voit ici les ruines), furent sans conteste les plus somptueux de Rome. Ils comprenaient un gymnase, et pouvaient accueillir 1600 personnes.

Élève de Nicolas Poussin, Pietro Santa Bartoli (1635-1700) s'est très tôt passionné pour l'architecture romaine. Ses nombreux essais de restauration graphique, qui annoncent les « Antiquités » de Piranèse ; ses relevés – ceux des reliefs de la colonne trajane, qu'il dédie à Louis XIV – lui ont assuré une grande réputation d'érudition et de curiosité archéologique, confirmée par ses « Mémoires de fouilles ».

Colisée

En creusant dans le jardin d'une certaine Dame dei Nobili, dans la partie septentrionale du Colisée, on trouva diverses salles souterraines, toutes noblement décorées de marbres, de peintures, de fontaines et de statues, outre une grande quantité de tuyaux de plomb, qui permirent de comprendre que c'était un lieu de loisirs d'un certain prestige.

San Gregorio

Dans le jardin des Cornovaglia, situé en face de San Gregorio, on a pendant longtemps fait des fouilles ; on y vit des édifices merveilleux, des salles peintes souterraines, des portiques, des piliers immenses de travertin, des statues, des thermes, des bustes et grande quantité de métaux ; et, parmi d'autres choses encore, une petite boîte de fer avec tous les instruments de sacrifice et un lion de porphyre, qui fut vendu au cardinal Ghigi. Mais ce qui sembla plus remarquable fut une salle de douze empans environ, dont le plancher était recouvert de plomb, qui se soulevait au niveau des murs d'environ un empan. Entre ce plomb et le mur, là où il s'était un peu détaché, on trouva en effet quantité de monnaies d'or ; on pensa que cela pouvait être le trésor de l'empire, ou bien la fortune d'un grand personnage.

On recommença à creuser dans ce même lieu [le jardin de Francesco Morelli, sur le mont Celio] à l'époque de Clément X, et on y trouva des vestiges des plus belles peintures que l'on ait vues à Rome, ainsi que diverses statues et de très nobles bustes, en particulier les deux *Lucius Verus*, achetés par le cardinal di Buglione, ainsi qu'*Eros* et *Psyché*, achetés par le cardinal de Médicis ; sans oublier diverses statues de marbre tacheté, une très noble lampe de métal représentant le vaisseau de saint Pierre, et encore d'autres très beaux morceaux d'antiquités.

En face de là, dans le jardin de M. Teofilo Sartori, on chercha à extraire un trésor ; mais on fut déçu de ne trouver qu'une grande quantité de monnaies de cuivre, de la valeur de leur poids de vieux métal. Puis, à l'époque d'Innocent X, on creusa au niveau du portail du bas donnant sur la ruelle qui mène au Colisée, et l'on trouva une rangée de boutiques dont on supposa qu'elles avaient servi à des chaudronniers, car il y avait là quantité de pièces de cuivre avec les instruments permettant de les travailler. De ce fait, et par respect pour le noble voisinage, on arrêta là les fouilles. On y remit la main à l'époque de Clément X, et on y trouva une partie de l'édifice appelé *Castra peregrina*, ainsi que d'autres beaux entrepôts de sel, des *cortile* avec leurs portiques, des colonnes faites d'une très belle brèche que l'on recycla pour la chapelle mortuaire de l'église de Saint-Laurent-hors-les-murs, des statues, une grande quantité de têtes de marbre, des bustes et des métaux innombrables, dont une partie avait sans doute servi pour un arc de triomphe, quantité d'entre eux étant recouverts et comme incrustés d'argent. [...]

Antoniana (thermes de Caracalla)

Ce fut chose extraordinaire que la découverte de l'*Hercule* de Farnèse : on trouva le corps à l'Antoniana, la tête au fond d'un puits du Transtévère que l'on voulait nettoyer, et enfin les jambes aux Frattocchie, situées non loin de Marino, où l'on avait fait des fouilles. On peut aujourd'hui voir ces jambes dans les caves de la villa Borghèse, parmi d'autres antiquités.

Les fouilles que l'on fit dans l'Antoniana à l'époque du pape Paul III, sur ordre du cardinal Farnèse son neveu, mirent au jour une telle profusion de statues, de colonnes, de bas-reliefs, différents marbres tachetés, sans compter quantité de petites choses, tels des camées, des objets sculptés, des statuettes en métal, des médailles, des lampes à huile et autres choses semblables, que le palais de ce prince en devint un lieu admirable, ce qu'il est encore aujourd'hui. Car lui seul peut se flatter d'avoir des colosses d'aussi excellente manière que les deux *Hercule*, ainsi que la *Flora*, les *Gladiateurs* et autres statues, de même que la merveilleuse composition qu'est le *Taureau*, de taille stupéfiante, et quantité de statues faites d'un morceau de marbre unique, ou encore les innombrables têtes, bustes, bas-reliefs qui restent encore entassés, comme dans des magasins, dans deux vastes salles du rez-de-chaussée. Tout cela, ou la plus grande part, fut trouvé à l'Antoniana, à l'exception des bas-reliefs situés dans le cortile extérieur, là où est placé le *Taureau*, trouvés piazza di Pietra, là où l'on voit encore les onze grandes colonnes d'ordre corinthien du portique, appelé basilique d'Antonin [identifié aujourd'hui avec le temple d'Hadrien (IIe s. ap. J.-C.), NdE]. On découvrit une partie des marbres qui se trouvaient là à l'époque d'Innocent X, en faisant les adductions de la fontaine de piazza Navona ; on en trouva d'autres aussi en démolissant une église, pour permettre de donner aux lieux, qui devaient servir à l'ensemble des revendeurs de la Rontonde, un air plus majestueux, conformément aux désirs du pape Alexandre VII qui voulait donner à ce temple imposant un caractère plus noble en en dégageant la vue. On fit jeter bas quelques maisons qui encombraient le portique de ce temple, et ce faisant on trouva, dans les flancs dudit portique bouchant l'espace entre une colonne et l'autre, des statues semblables représentant des Provinces [ces statues appartenaient au temple d'Hadrien, NdE], dont les mieux conservées furent ensuite placées dans les escaliers du cardinal son neveu. Et celles que l'on trouva à l'époque d'Innocent furent scellées sur la façade du palais, dans sa villa située hors la porte San Pancrazio. D'autres furent placées au Capitole.

Pietro Santi Bartoli,
*Memorie di varie escavazioni
fatte in Roma e nei luoghi suburbani.*
Traduction, Nicole Thirion.

Découvert en 1683, cet édifice est ici dessiné par Bartoli.

Les Français à Rome

*Envoyé deux fois à Rome (1803 et 1828)
pour des missions diplomatiques,
Chateaubriand observe avec perspicacité les
effets de l'administration française sur
l'archéologie romaine.*

La première invasion des Français, à Rome, sous le Directoire, fut infâme et spoliatrice ; la seconde, sous l'Empire, fut inique : mais, une fois accomplie, l'ordre régna.

La République demanda à Rome, pour un armistice, vingt-deux millions, l'occupation de la citadelle d'Ancône, cent tableaux et statues, cent manuscrits au choix des commissaires français. On voulait surtout avoir le buste de *Brutus* et celui de *Marc-Aurèle* : tant de gens en France s'appelaient alors *Brutus !* Il était tout simple qu'ils désirassent posséder la pieuse image de leur père putatif ; mais Marc-Aurèle, de qui était-il parent ? Attila, pour s'éloigner de Rome, ne demanda qu'un certain nombre de livres de poivre et de soie ; de notre temps, elle s'est un moment rachetée avec des tableaux. De grands artistes, souvent négligés et malheureux, ont laissé leurs chefs-d'œuvre pour servir de rançon aux ingrates cités qui les avaient méconnus.

Les Français de l'Empire eurent à réparer les ravages qu'avaient faits à Rome les Français de la République ; ils devaient aussi une expiation à ce sac de Rome accompli par une armée que conduisait un prince français : c'était à Bonaparte qu'il convenait de mettre de l'ordre dans des ruines qu'un autre Bonaparte avait vues croître et dont il a décrit le bouleversement. Le plan que suivit l'administration française pour le déblaiement du Forum fut celui que Raphaël avait proposé à Léon X : elle fit sortir de terre les trois colonnes du temple de Jupiter tonnant ; elle mit à

nu le portique du temple de la Concorde ; elle découvrit le pavé de la Voie sacrée ; elle fit disparaître les constructions nouvelles dont le temple de la Paix était encombré ; elle enleva les terres qui recouvraient l'emmarchement du Colisée, vida l'intérieur de l'arène, et fit reparaître sept ou huit salles des bains de Titus.

Ailleurs, le Forum de Trajan fut exploré ; on répara le Panthéon, les Thermes de Dioclétien, le temple de la Pudicité patricienne. Des fonds furent assignés pour entretenir, hors de Rome, les murs de Faléries et le tombeau de Cecilia Metella.

Les travaux d'entretien pour les édifices modernes furent également suivis : Saint-Paul-hors-des-Murs, qui n'existe plus, vit restaurer sa toiture ; Sainte-Agnès, San-Martino-ai-Monti, furent défendus contre le temps. On refit une partie des combles et des pavés de Saint-Pierre ; des paratonnerres mirent à l'abri de la foudre le dôme de Michel-Ange. On marqua l'emplacement de deux cimetières à l'est et à l'ouest de la ville, et celui de l'est, près du couvent de Saint-Laurent, fut terminé.

Le Quirinal revêtit son indigence extérieure du luxe des porphyres et des marbres romains : désigné pour le palais impérial, Bonaparte, avant de l'habiter, voulut y faire disparaître les traces de l'enlèvement du pontife, captif à Fontainebleau. On se proposait d'abattre la partie de la ville située entre le Capitole et Monte-Cavallo, afin que le triomphateur montât par une immense avenue à sa demeure césarienne : les événements firent évanouir ces songes gigantesques en détruisant d'énormes réalités.

Dans les projets arrêtés était celui de construire une suite de quais depuis

Ripetta jusqu'à *Ripa grande* : ces quais auraient été plantés ; les quatre îlots de maisons entre le château Saint-Ange et la place Rusticucci étaient achetés en partie et auraient été démolis. Une large allée eût été ainsi ouverte sur la place Saint-Pierre, qu'on eût aperçue du pied du château Saint-Ange.

Les Français font partout des promenades : j'ai vu au Caire un grand carré qu'ils avaient planté de palmiers et environné de cafés, lesquels portaient des noms empruntés aux cafés de Paris : à Rome, mes compatriotes ont créé le Pincio ; on y monte par une rampe. [...]

La partie occidentale de la place du Peuple devait être plantée dans l'espace qu'occupent des chantiers et des magasins ; on eût aperçu, de l'extrémité du cours, le Capitole, le Vatican et Saint-Pierre au-delà des quais du Tibre, c'est-à-dire Rome antique et Rome moderne.

Chateaubriand,
Mémoires.

Vue pittoresque d'un chantier de fouilles sur le Forum vers 1820.

Sarcophages, urnes et stèles funéraires découvertes à Rome à la fin du XVIIIᵉ siècle.

Un Allemand à Rome

Auteur d'une longue « Histoire de la Rome médiévale », le Prussien Gregorovius (1821-1891) s'installe à Rome à la veille de l'Unité. Il est un des témoins des grandes découvertes de l'époque – et de ses grandes destructions.

Rome, 18 juin 1871

[...] Rome est devenue un sépulcre blanchi. On blanchit les maisons, ainsi que les vieux palais vénérables ; on gratte la rouille des siècles, et ainsi on donne à voir combien Rome est laide dans son architecture. Pietro Rosa a même fait déblayer le Colisée, en le nettoyant de toutes les plantes qui l'ornaient si bien. De cette manière on a détruit la flore du Colisée. Il y a plusieurs années, l'Anglais Deakin avait écrit un livre sur le sujet. Cette transformation de la ville sainte en une ville moderne est en soi une revanche sur l'époque où la Rome païenne fut convertie, avec une égale passion, en Rome spirituelle. On transforme les couvents en bureaux ; on ouvre les fenêtres des cloîtres et on en perce de nouvelles, on fait de nouvelles portes. Après tant de siècles de pénombre, soleil et lumière pénètrent à nouveau dans ces couvents de frères et de sœurs. C'est ainsi que se sont transformés en peu de temps, et par force, San Silvestro, les couvents des Philippins, la Minerva, les Augustins du Champ de Mars, les Saints Apôtres. Les moines qui y habitent encore en sont chassés comme des chiens. Cela fait impression de les voir errer comme des esprits dans les cellules et les couloirs. Certains pourtant doivent être heureux de leur libération. La vieille Rome est au crépuscule. Dans vingt ans il y aura ici un autre monde. Mais moi je suis content d'avoir vécu tant d'années dans la vieille Rome. Je n'aurais pu écrire mon œuvre historique que dans cette atmosphère.

12 janvier 1873

L'hiver est d'une douceur sans pareille. Magnifique splendeur du ciel sur Rome, merveilleux couchers de soleil.

On construit avec fureur, les quartiers, les Monts sont tous mis sens dessus dessous. Hier j'ai vu tomber le grand mur de la villa Negroni, là aussi on fait des routes neuves ; dans le campement prétorien un nouveau quartier a déjà surgi ; de même sur les pentes du Celio, près des Quatre Saints couronnés. On construit même à San Lorenzo in Panisperna. A chaque heure je vois tomber un morceau de la vieille Rome. La Rome nouvelle appartient à la nouvelle génération, moi j'appartiens à l'ancienne, à celle dans le silence enchanteur de laquelle est née mon histoire de la ville. Si j'étais venu pour la première fois à Rome, jamais je n'aurais pu concevoir le plan de cette œuvre. [...]

Rome, 2 avril 1874

[...] Les couvents sont à présent tous supprimés ou abandonnés. Un soir je suis allé à San Onofrio, à la veille du jour où les moines devaient déménager. En entrant sur le parvis j'en ai vu quelques-uns assis, tristes et silencieux, autour du puits de pierre, et sur le Gianicolo s'étendait un nuage noir qui couvrait de son ombre le couvent ; on voyait jaillir des éclairs et le tonnerre grondait.

A San Lorenzo in Lucina, ils ont construit un musée national romain. D'autres monastères ne sont encore destinés à rien. Dans celui des basiliens grecs de Sainte-Marie du Champ de

Fouilles sur le Forum à la fin du XIXᵉ siècle.

Mars, on transférera les Archives nationales. Les Arméniens des hauteurs de San Pietro in Vincoli se sont maintenus parce qu'ils tiennent une école. Mais dans le couvent de Saint-Pierre lui-même, ils ont ouvert un institut polytechnique.

Chez les Augustins et à la Minerva, les moines sont restés comme bibliothécaires. Je n'ai encore visité aucune de ces bibliothèques où pendant des années j'ai été comme chez moi et où j'ai rencontré toujours la même amabilité. Maintenant que je suis mis à l'index, je ne veux pas voir les visages étonnés de ces bons vieillards, il m'est très pénible que certaines personnes se fassent de moi une idée fausse que je ne peux pas démentir.

On poursuit les fouilles au Colisée, de grands canaux sont mis au jour.

Aucune statue notable n'a été découverte. Pour pouvoir faire ces fouilles, on a enlevé toutes les chapelles des étapes du chemin de croix et même la croix du milieu. Ce qui a déchaîné une tempête chez tous les dévôts, ainsi qu'au Vatican. Le cardinal-vicaire a banni l'intendant Rosa ; pendant plusieurs jours des processions sont venues prier au Colisée. On continue à creuser activement.

Près de Sainte-Marie-Majeure on a mis au jour une maison antique avec le reste d'une exèdre peinte, qui appartenait peut-être au palais Merula d'où la rue a tiré son nom.

Gregorovius,
Diari romani.
Traduction, Nicole Thirion.

L'archéologie chrétienne

La découverte des catacombes, événement récent, a complètement renouvelé la connaissance des rites funèbres des premiers chrétiens. Avec l'aide de plus en plus active des autorités pontificales, la Rome souterraine s'est peu à peu ouverte à la curiosité des hommes. Ainsi, entre 1939 et 1949, Pie XII fit rechercher la tombe de saint Pierre sous la basilique. Les fouilles mirent au jour une nécropole ancienne et le tracé d'une route romaine.

Un président dans les catacombes

Si on en croit le président de Brosses, on s'intéresse peu aux catacombes au siècle des lumières. Du reste, on n'en connaît qu'un petit nombre qui ne sont guère fréquentables. Celle de saint Sébastien, par exemple, est un repaire de brigands.

Le président de Brosses.

D'une extrémité à l'autre, je vous précipite aux catacombes ; cela vous épargnera la peine de voir celles de Rome : car ce ne sont pas de ces objets qui soient curieux deux fois. Moi qui vous parle, j'ai pourtant eu la sottise de visiter encore celles de Sainte-Agnès ; mais que mon exemple vous rende sage. Ce sont de longs corridors souterrains creusés dans des carrières de pierres. De côté et d'autre la pierre est taillée en niches, comme une bibliothèque. On peut assurer avec certitude que ceci n'a jamais été fait que pour servir de cimetière, soit depuis qu'on eut quitté l'usage de brûler les corps, soit peut-être même avant que

Cubicolo Primo del Cimiterio di S. Califto Papa, e d'altri Santi Martiri nelle Vie Appia, & Ardeatina.

CVBICVLVM PRIMVM
COEMETERII SANCTI CALLISTI PAPAE
ET ALIORVM SANCTORVM MARTYRVM
VIA APPIA ET ARDEATINA

Première chambre de la catacombe de Calliste, dessinée par Bosio pour son ouvrage *Roma sotteranea*.

cet usage ne fût introduit ; du moins on le pourrait penser des catacombes de Rome. On logeait un ou plusieurs cadavres dans chaque niche, après quoi on la murait, selon les apparences, pour prévenir l'infection. C'est une folie ridicule que de dire qu'elles aient été creusées par les premiers chrétiens pour s'y loger et célébrer les saints mystères à couvert de la persécution. Le joli logement, s'il vous plaît, que de pareilles galeries, sans air et sans lumière ! Ce serait d'ailleurs un bel ouvrage à faire *incognito*, que toute cette suite de larges et hauts corridors, dont le labyrinthe n'a pas moins de neuf milles de parcours, à ce qu'on assure. les chrétiens de Naples n'étaient pas en assez grand nombre pour entreprendre, même publiquement, un ouvrage pareil à ces catacombes-ci, qui sont bien plus belles et plus exhaussées que celles de Rome. Je ne dis pas que quelquefois, par hasard, quelqu'un n'ait pu s'y cacher ; mais, à coup sûr, ceci n'a jamais servi de demeure aux vivants. les restes d'autels et de peintures barbouillées sur les murs qui se voient dans une assez grande salle, à l'entrée des catacombes de Naples, sont apparemment des marques de quelque cérémonie pieuse qui s'y sera faite jadis en l'honneur de feu messieurs les saints, qu'on se figurait y avoir tenu leur ménage. Voilà tout ce que vous aurez de moi sur cet article ; si vous en voulez davantage, lisez Misson et Burnet, qui en parlent fort au long.

Charles de Brosses,
Sensations d'Italie,
in Yves Hersant, *Italies*.

Gian Battista De Rossi est le fondateur de l'archéologie chrétienne. Sa « Rome souterraine » n'est pas seulement un exposé érudit mais un récit passionnant de ses aventures dans les profondeurs de la terre.

Cimetière de saint Calixte

Crypte de saint Corneille

En 1849, dans la vigne Molinari, aujourd'hui propriété des saints palais apostoliques, je découvris un fragment de plaque de marbre, gravé de belles lettres, sur lequel restait inscrite une partie du nom de saint Corneille : ...RNELIVS MARTYR. Ce fragment me sembla appartenir à l'épitaphe primitivement apposée sur le sépulcre de saint Corneille. Je le montrai au père Marchi, qui en fit l'acquisition pour le Museum Kircherianum. Quatre ans plus tard, soit un jour de mars 1852, [...] je m'engageai avec le père Marchi jusqu'au fond du promenoir nord, alors assez encombré de terre, si bien que nous marchions tout courbés sous la voûte. Au fond nous trouvâmes un trou récemment creusé dans le tuf. En passant la tête dans le trou, nous vîmes une salle pleine, non pas de terre déposée par les fossoyeurs, mais de décombres précipités d'en haut, devant lesquels, suivant leur habitude, les terrassiers modernes avaient reculé sans creuser plus largement le trou. Mes lecteurs savent déjà combien cet indice-là est favorable. Les recherches actuelles se différencient de celles qui se faisaient auparavant en ceci précisément que nous cherchons les lieux ensevelis sous les décombres précipités depuis les lucarnes, les escaliers ou les ruines des constructions qui ont transformé l'hypogée primitif, alors que les terrassiers, au contraire, lorsqu'ils tombaient sur des lieux semblables, reculaient et suivaient le fil de l'excavation pratiquée dans le tuf et dans les dépôts de terre faits par les anciens fossoyeurs. A cet indice favorable correspondit l'événement. Tout d'abord apparut un arc construit en bonne brique, signe certain de transformations et de restaurations de la crypte primitive. Puis sous l'arc nous découvrîmes des peintures : c'étaient des images de deux saints, de style byzantin, signe incontestable qu'il s'agissait là d'une crypte célèbre et historique. A côté de la première peinture était écrit : SCI CORNELI PP, et à côté de la seconde : .IPPI.. N... Le lecteur, se souvenant de ce que j'ai dit de saint Cyprien, dont le culte est associé à celui de saint Corneille, saura immédiatement compléter et lire le deuxième nom : CIPRIANI. Voici

Fragments d'inscriptions chrétiennes retrouvées dans les catacombes (ci-dessus). Cérémonie dans une catacombe au XIXᵉ siècle (à droite).

donc Corneille et Cyprien dans une crypte historique du cimetière de Calixte, loin de celle de saint Sixte et de sainte Cécile : comment douter qu'il s'agisse là du sépulcre même de saint Corneille dont les topographes nous ont donné tant d'indications précises ? Quant à moi, à peine eus-je vu les images que je fus transporté d'une incroyable joie (c'était la première fois que je me trouvais, dans les cimetières souterrains, devant le monument funéraire d'un pape), et je ne me demandai pas si le sépulcre jouxtant cette peinture était véritablement celui que j'imaginais. De l'autre côté du sépulcre lui-même nous vîmes les effigies de deux autres saints en habit sacerdotal : le nom du premier était entier : SCS XYSTVS PP ROM ; le nom du second était effacé. Le tombeau que ces images encadraient était ouvert et sans aucune trace de la pierre, ni de l'inscription, qui autrefois l'avait fermé. Quelques rares lettres damasiennes apparaissaient sur un morceau de marbre resté collé dans l'angle droit, au-dessus de l'ouverture du sépulcre. Devant le sarcophage restait aussi un modeste fragment d'une grande inscription en lettres de forme et de proportions monumentales, et de calligraphie presque damasienne. Ni l'un ni l'autre fragment ne contenait de syllabe susceptible de suggérer un nom propre. Ce qui manquait des lettres rescapées inscrites sur le tombeau fut complété par un troisième fragment trouvé couché à l'intérieur même du sépulcre. Ce fragment, rapproché de celui que quatre ans auparavant j'avais recueilli dans la vigne, lui correspondait exactement et donnait ainsi l'inscription en entier : CORNELIVS

Entrée d'une catacombe sur la via Appia.

MARTYR EPiscopus... Le titre insigne et inestimable ainsi recomposé à partir de deux éléments retrouvés à des époques différentes, auxquels venait s'ajouter un troisième morceau correspondant à l'extrémité supérieure de la plaque de marbre et dépourvu de lettres, appliqué sur l'ouverture du sépulcre, le bouche très exactement. L'épaisseur de la plaque confirme, à titre de preuve supplémentaire, que c'est bien cette plaque qui un jour ferma ce sépulcre : dans l'angle gauche de celui-ci il reste encore, marquée dans la craie, la trace de cette épaisseur bien précise.

G. B. De Rossi,
Rome souterraine.
Traduction, Nicole Thirion.

Bilan de l'archéologie chrétienne

Malgré sa jeunesse, l'archéologie chrétienne a déjà une histoire. Philippe Pergola, chercheur au CNRS et professeur de topographie, évoque l'évolution des méthodes et des objectifs de cette science, « qui étudie les archives du christianisme primitif. »

« *L'archéologie chrétienne a-t-elle beaucoup changé au XXe siècle ? »*

« L'archéologie chrétienne n'est plus aujourd'hui celle d'Antonio Bosio ni de Gian Battista De Rossi, mais elle en est l'héritière et elle est fière de cette paternité. Le monde de l'archéologie chrétienne, comme celui de l'archéologie en général, regroupe des chercheurs dont les approches sont différentes : historiens de l'art, épigraphistes, spécialistes des sources littéraires et fouilleurs, dont les méthodes de fouilles peuvent être "traditionnelles" (avec l'emploi de méthodes de déterrement aujourd'hui très critiquées) ou s'inspirent des techniques de pointe les plus récentes (par exemple la fouille "en extension" ou en "*open area*", mise au point par des chercheurs anglais).

» Traditionnellement l'archéologie chrétienne s'occupe des monuments chrétiens de la fin de l'Antiquité et du haut Moyen Âge, en particulier, les églises, les baptistères, les monastères ou les cimetières ; mais, aujourd'hui, son champ d'investigation s'est étendu à la société dans son ensemble, y compris à l'économie ou à la politique. On parle ainsi de plus en plus d'archéologie de l'Antiquité tardive et du haut Moyen Âge plutôt que d'archéologie chrétienne. Autrefois, cette discipline prenait en compte les témoignages monumentaux jusqu'au début du VIIe siècle (la fin du pontificat de Grégoire le Grand) ; nous allons aujourd'hui au moins jusqu'au IXe siècle, sinon au-delà.

» Certes tous les pays du monde occidental christianisé à la fin de l'Antiquité et au début du Moyen Âge ont aujourd'hui des spécialistes d'archéologie chrétienne, mais, à de rares exceptions près, toute leur activité a un lien avec Rome et ses institutions traditionnelles : notamment la Commission pontificale d'archéologie chrétienne qui assure depuis la moitié du XIXe siècle la fouille et la tutelle des catacombes romaines et l'Institut pontifical d'archéologie chrétienne, fondé en 1925, qui accueille des étudiants venus du monde entier, pour préparer, en trois ans, un doctorat de spécialisation.

» Une institution semblable existe en Allemagne depuis la fin du XIXe siècle. La France possède aussi une tradition dans ce domaine, avec les travaux d'ecclésiastiques concernant la Gaule et l'Afrique du Nord (époque coloniale), mais aussi avec les recherches universitaires, historiens ou archéologues, formés en particulier par Henri-Irénée Marrou (pour se limiter aux trente dernières années) et qui se reconnaissent à l'heure actuelle dans la "mouvance" de Charles Pietri (son successeur à la Sorbonne, directeur de l'École française de Rome depuis 1983), Noël Duval (professeur à la Sorbonne) ou Paul-Albert Février (professeur à l'université de Provence). »

« Quels ont été les grandes découvertes et les grands débats des trente dernières années ? »

« Il est pratiquement impossible d'en donner une liste. Un grand nombre de monuments ont été fouillés et leur découverte a souvent remis en cause des lieux communs très enracinés. Pour se limiter à Rome et au domaine des catacombes, plusieurs théories ont été bouleversées, surtout grâce au renouvellement des études et des problématiques scientifiques. À Rome la découverte la plus spectaculaire a été celle d'une catacombe de la via Latina richement décorée de peintures particulièrement originales. À côté de représentations bibliques, totalement inconnues sous cette forme ou très originales par rapport aux centaines d'autres cycles jusqu'ici connus dans les catacombes romaines, les propriétaires de cet ensemble privé avaient fait peindre également des scènes tout à fait païennes. Cet ensemble, datable entre les années 330 et 380 environ, est, contre toute attente de la part des archéologues et des historiens de l'Antiquité tardive, la preuve d'une tolérance certaine et d'une union

étroite, jusqu'à la mort et au-delà, entre chrétiens et païens. Quant aux catacombes elles-mêmes, des études récentes ont permis d'établir qu'elles ne furent pas à l'origine spécifiquement chrétiennes, mais qu'il s'agit en fait, indépendamment de toute appartenance religieuse, d'une pratique systématique, durant les premières décennies de la généralisation de ce type d'inhumation à l'intérieur de galeries souterraines.

» Enfin, durant ces trente dernières années l'archéologie chrétienne a étoffé ses rangs et son champ d'action grâce aux fouilles stratigraphiques confiées aux chercheurs de la dernière génération ; ces fouilles "fines" ont souvent permis de revoir la chronologie de plusieurs monuments, mais elles nous ont aussi donné une image différente de la fin de l'Antiquité et du haut Moyen Âge : il n'y a pas eu une rupture traumatisante à la suite d'invasions de barbares sanguinaires, mais une lente transition vers le Moyen Âge, avec des changements progressifs dans tous les domaines. Les Lombards, par exemple, ont été réhabilités il y a trente ans ; les Vandales le sont aussi maintenant : leur arrivée en Afrique n'a interrompu aucun des circuits économiques traditionnels et les destructions dues à leur passage ou à leur établissement dans certaines provinces n'existent plus à l'heure actuelle que dans les écrits de nostalgiques de théories dépassées que toutes les découvertes archéologiques de ces dernières années contredisent sans équivoque. »

Interview de Philippe Pergola, chargé de recherches au CNRS, professeur de topographie (Institut pontifical d'archéologie chrétienne).

BIBLIOGRAPHIE

Généralités

Barret-Kriegel B., *Les Historiens de la monarchie* (4 volumes), PUF, Paris, 1988-1989.

Bianchi Bandinelli R., *Rome, le centre du pouvoir*, Gallimard, Paris, 1969.

Coarelli F., *Dintorno di Roma* (*les Environs de Rome*), Rome, 1981.

Coarelli F., *Guida archeologica di Roma*, Laterza, Rome, 1985.

Courbin P., « Évolution des méthodes de fouilles en France », in *Archeologia* n° 38, 1971, pp. 44-51.

Frederix P., *Histoire de Rome*, Albin Michel, Paris, 1969.

Grimal P., *l'Italie retrouvée*, Belles Lettres, Paris, 1979.

Hersant Y., Italies, anthologie des voyageurs français des XVIIIᵉ et XIXᵉ siècles, Laffont, Paris, 1988.

Hibbert C., *Histoire de Rome*, Payot, Paris, 1988.

Huelsen H. von, *Trésors de Rome*, Flammarion, Paris, 1962.

Mazzarino S., *le Déclin du monde antique*, Gallimard, Paris, 1973.

Memoria dell'antico nell'arte italiana (3 volumes), sous le direction de Settis, Einaudi, Rome, 1984.

Momigliano A., *Problèmes d'historiographie romaine*, Gallimard, Paris, 1978. (Chapitre sur les antiquaires.)

Nicolet C, Introduction à Mommsen T., *Histoire romaine*, Laffont, Paris, 1985.

Chapitre I

Adhémar J., *Influences antiques dans l'art du Moyen Âge français*, Londres, 1939.

Homo L., *Rome médiévale*, Payot, Paris, 1934.

Chapitre II

Burckardt J., *la Civilisation de la Renaissance en Italie*, Gonthier-Denoël, Paris, 1958.

Chastel A., *le Sac de Rome*, Gallimard, Paris, 1985.

Delumeau J., *la Vie économique et sociale de Rome dans la seconde moitié du XVIᵉ siècle*, De Boccard Paris, 1959.

Falguières P., « La cité fictive. Les collections des cardinaux à Rome au XVIᵉ siècle » in *les Carrache et les décors profanes*, colloque, 2-4 octobre 1986, École française, Rome, 1988, p. 315 sq.

Chapitre III

Bonnefoy Y., *Rome 1630*, Flammarion, Paris, 1970.

Starobinski J., 1789 *les Emblèmes de la raison*, Flammarion, Paris, 1973.

Chapitre IV

Archéologie et projet urbain, catalogue d'exposition, De Luca, Rome, 1985.

Boyer F., *le Monde des arts en Italie et la France de la Révolution et de l'Empire*, Paris, 1969.

Pinon P., « Comment fouillait-on au XVIIIᵉ et au début du XIXᵉ siècle ? » in *Archeologia* n° 158, 1981, pp. 16-26.

Quincy Q. de, *Lettres à Miranda*, Macula, Paris, 1989.

Villes et territoires pendant la période napoléonienne, École française, Rome, 1987.

Chapitre V

Pinon P., Amprimoz F. X., *les Envois de Rome*, École française, Rome, 1988.

Roma antica, catalogue de l'exposition des Beaux-Arts, Paris-Rome, 1985.

TABLE DES ILLUSTRATIONS

INDEX

A

B

C

CRÉDITS PHOTOGRAPHIQUES

Archiv für Kunst und Geschichte, Berlin 195. Artephot/Ohana, Paris 45h. Artephot 39b, 45b. Artephot/André Held 4ᵉ de couverture, 64b, 72/73, 80/81, 85. Artephot/Nimatallah 82, 103h, 123h, 123b, 132h, 133h. AFE, Rome 11, 48g. Barone, Florence 140h. BIASA, Rome 94b. Bibl. nat., Paris 12, 15, 16b, 23, 25, 34h, 37, 43b, 44h, 46/47, 49h, 53h, 54/55, 69h, 69b, 75m, 75b, 88h, 88b, 92h, 92b, 96h, 103b, 110, 111, 112hg, 112b, 113h, 113bg, 113bd, 146, 149, 151, 156/157, 158/159, 160/161, 165h, 165b, 166, 167, 183, 184/185, 187, 193, 196/197. Bridgeman Art Library, Londres 1ᵉʳ plat de couverture, 61, 76/77, 108/109. Charmet, Paris 83d, 171, 189h. Collection particulière, Paris 53b. Dagli-Orti, Paris 13, 22b, 28, 35b, 43h, 44b, 48d, 101, 134/135, 136/137, 142/143. D. R. 22h, 71b, 91bd, 102, 120, 128, 129b, 145, 168/169, 192. ENSBA, Paris 1-9, 86, 97b, 104h. Explorer, Paris 114/115, 148. John Freeman, Londres 173. Giraudon, Paris 21, 29, 95. Giraudon/Lauros, Paris 87h. ICCD, Rome 16bd, 17g, 105, 125h, 125b, 126, 150, 163, 175h, 191. Icona, Rome 14, 16h, 17b, 20, 26, 30g, 30d, 31g, 31d, 50/51, 59, 60h, 60b, 64h, 71h, 83g, 86h, 91h, 91bg, 96b, 97h, 100, 104b, 106/107, 119b, 189b. Institut archéologique allemand, Rome 118, 119h, 122h, 112b, 147, 176b, 177h, 177b, 178hg, 178hd, 179h, 179b. Keystone, Paris 131d, 133b, 144. Lores Riva, Milan 32h, 33, 131h. Pierre Pinon, Paris 91d, 93h, 93b, 98/99. Luisa Ricciarini, Milan 17m, 34b, 38b, 141. Rijksmuseum, Amsterdam 56/57, 58. RMN, Paris dos, 18/19, 70, 80/81, 91hd, 94h. Roger-Viollet, Paris 89, 154, 155, 164, 170, 172, 175b, 181. Scala, Florence 24, 35h, 36d, 36g, 38/39h, 40g, 41d, 49b, 62/63, 65, 66h, 66/67b, 68, 74, 75h, 87b, 121, 138/139, 140b. Sipa Press, Paris 52. Staat- und Universitätbibliothek, Hambourg 27. Staatliche Museum Preussicher Kulturbesitz, Berlin 32b, 41, 73. Stradella/Costa, Milan 116, 117, 124, 127, 129h, 162.

REMERCIEMENTS

L'auteur remercie tout particulièrement Filippo Coarelli et Alain Borer qui ont bien voulu relire son manuscrit, Noëlle de la Blanchardière pour ses conseils et ses encouragements, Claude Nicolet et Charles Pietri pour leur bienveillante autorité.

L'éditeur adresse ses remerciements aux personnes et aux organismes suivants pour l'aide qu'ils ont apportée à la réalisation de cet ouvrage : Annie Coarelli, libraire à Rome, Philippe Morel, historien d'art à la villa Médicis, Fausto Zevi, directeur de l'Institut d'histoire de l'art et d'archéologie à Rome, Pierre Pinon, architecte, Nicole Thirion, traductrice, les éditions Robert Laffont.